GEORGES DUHAMEL
DE L'ACADÉMIE FRANÇAISE

CÉCILE
PARMI NOUS

CHRONIQUE DES PASQUIER
V, VII

PARIS
MERCVRE DE FRANCE
XXVI, RUE DE CONDÉ, XXVI
MCMXLIX

IL A ÉTÉ TIRÉ

Dans le format in-8° raisin :

22 exemplaires sur Japon impérial
numérotés à la presse de 1 à 22.

77 exemplaires sur vergé Hollande van Gelder
numérotés à la presse de 23 à 99.

11 exemplaires sur vergé Ingres crème
numérotés à la presse de 100 à 110.

Dans le format in-16 double-couronne :

1175 exemplaires sur vélin pur fil Lafuma
numérotés de 111 à 1285, constituant l'édition originale.

210 exemplaires sur papier d'Alfa
réservés à la SÉLECTION LARDANCHET
marqués Sélection Lardanchet 1 à 210.

Il a été tiré en outre : 1 Japon, 6 Hollande,
marqués H. C., 25 Lafuma, hors-commerce, réservés
à l'auteur, marqués A à Z.

CHAPITRE PREMIER

Les puissances, folles ou sournoises, toutes les
puissances du monde, celles qui roulent, celles qui
piaffent, celles qui cheminent à pas sourds, celles
qui voyagent en hurlant, celles aussi qui veillent,
inertes depuis des siècles, mais n'attendent qu'un
signal pour chanceler et pour choir, celles qui ont
des voies tracées, des règles et des barrières et celles
qui voguent à l'aventure comme les corsaires de
l'ombre, toutes les forces redoutables qui hantent
la ville des hommes, elles ne pourront rien aujour-
d'hui, contre l'enfant aux paupières diaphanes,
contre le petit roi, contre le petit dieu qui som-
meille, les bras en croix, dans le creux du berceau
roulant.

Ce précieux fardeau qu'elle ne voulait, ce soir,
abandonner à nul autre, Cécile va, parmi les
rumeurs, les grondements, les fracas, en le poussant droit devant elle. Pour Cécile donc la joie de
protéger, cette joie qui, de toutes, est la plus noble,

7

la plus exaltante aussi. Pour Cécile encore l'orgueil sans pareil d'avancer comme une déesse dans un univers soumis. Pour Cécile, dès que la rue monte, le tendre effort des bras sur la nacelle soudain plus lourde.

Cécile a visité, maintenant, toutes les nations de la terre; elle a joué de la musique devant les princes, les rois et les empereurs. Cent fois, elle a senti les foules heureuses la saluer, la remercier en criant et en haletant. Mais, au prix d'un petit enfant, que valent toutes les autres gloires? Cécile a créé des chants, elle sait inventer des airs qu'elle trouve au fond de son âme. Elle donne à la musique des grands maîtres une vie telle que tous ceux qui l'entendent sont aussitôt saisis d'un délicieux orgueil. Depuis qu'elle a mis au monde une petite créature humaine, Cécile juge bien frivoles toutes ses anciennes raisons de fierté.

La jeune femme songe aux heures solennelles de la souffrance comme aux plus belles heures de sa vie. Elle n'avait pas peur. Elle n'était pas anxieuse, mais bien plutôt transportée de ferveur et d'espérance. Ce n'est pas comme une victime qu'elle s'est remise aux mains de la matrone et du praticien, mais comme une prêtresse qui va recevoir le message des anges. Elle a chanté longtemps, puis chantonné. Un peu plus tard, même ses cris, car il faut bien crier pour ne pas mettre à mépris la voix des écritures saintes, même ses cris et ses soupirs s'achevaient comme les phrases d'un hymne. L'enfant! L'enfant! Voilà ce qu'elle attendait, ce qu'elle avait toujours cherché.

L'enfant qu'elle souhaitait, ce n'était pas un

enfant semblable à tous les autres, c'était, très exactement, l'enfant qui lui a été donné, celui qu'elle veut, ce soir, promener elle-même, en dépit des gronderies de la sévère Félicienne. Le miracle s'est produit, et Cécile a reçu non pas un enfant, mais son enfant, celui qu'elle attendait, celui qui, de tout temps, était préparé pour elle, l'enfant avec qui, mille et mille fois, elle s'était promenée dans les vallées élyséennes, où luit doucement la lumière perlée des songes.

Cécile ne voulait pas, d'abord, pour son fils, de ce prénom d'Alexandre qui lui semblait trop long, trop intimidant, trop compromis dans l'histoire, c'est-à-dire dans l'histoire des autres. Cécile devait se tromper. Elle en convient de bon cœur. Elle reconnaît aujourd'hui qu'Alexandre est bien le prénom naturel et prédestiné de son enfant. Seulement Alexandre se prononce, au fil des heures : Sandry, Sandriouche, Dryno, Driouchette et Babiouche.

Ces petits noms d'amour, personne au monde ne les connaît. Pas même Laurent qui est, depuis trois ans, un frère insupportable.

Cécile qui, jadis, ne faisait pas volontiers l'aumône d'une parole, même à ses plus chers amis, s'arrête volontiers, maintenant, pour dire à une personne presque inconnue des phrases d'une pénétrante originalité, telles que : « Il a vingt-cinq mois, tout juste » ou « Il marche bien. Si je le mets dans sa voiture, ce n'est pas parce qu'il est malade, c'est pour mon plaisir... »

Cécile chemine par les rues et s'enivre de la joie d'être non plus une fée de la musique, un être admirable et un peu monstrueux, mais une femme semblable à toutes les autres femmes, une femme qui ne redoute plus de présenter au vent d'hiver deux mains délicates, ces deux mains que Cécile, autrefois, tenait à l'abri de toute offense, comme des objets précieux.

Cécile est invulnérable; elle jouit, et elle le sent bien, d'une immunité merveilleuse. Il y a sans doute des choses auxquelles il est préférable de ne point penser... Cécile secoue la tête, redresse le col et regarde en souriant l'être surnaturel qu'elle pousse devant elle, dans cette petite voiture. Cécile marche et, pour la laisser passer, les voitures s'arrêtent, les piétons s'effacent, les gardiens de la paix font de larges signes avec leurs bras. Les foules s'écartent. Le monde entier s'incline avec sollicitude.

CHAPITRE II

UN RÊVE DE LAURENT PASQUIER. LE FANTOME DE
SCHUBERT SE RÉVEILLE. CÉCILE N'A PAS CHANGÉ.
VINCENT DE PAUL EN ENFER. LES ARRIVISTES DU
CIEL ET AUTRES CONSIDÉRATIONS SUR LES SAINTS.

L'accordeur était venu le matin même et, pourtant, Cécile, une clef aux doigts, interrogeait les clavecins. Elle passait de l'un à l'autre, la tête inclinée, l'oreille attentive, et de temps en temps, pointant l'index vers le plafond, elle démandait le silence et semblait suivre, l'œil mi-clos, la fuite d'une onde à travers l'étendue.

La salle de musique avait été construite, deux ou trois ans plus tôt, selon les vœux de Cécile et pendant la grossesse de la jeune femme. Elle prenait jour sur le jardin. On y voyait trois pianos et trois clavecins disposés sur une estrade. On accédait à l'estrade par une seule marche. Et cela suffisait pour que cette partie de la salle eût le caractère de l'autel, du lieu élevé. Les bruits de la rue ne parvenaient guère dans cette retraite. Le plus faible soupir des cordes y pouvait naître, chercher sa route, accomplir son fragile destin.

Laurent suivait Cécile pas à pas, l'air soucieux

et obstiné. Il dit soudain, à la faveur d'un long silence :

— Sœur, j'ai fait un rêve, l'autre nuit.

Et comme Cécile attendait, le regard arrêté dans quelque angle d'ombre, un pli d'inquiétude et presque de souffrance entre les sourcils, le jeune homme poursuivit avec une sorte de hâte :

— Oh! ce n'était pas un cauchemar, je peux te l'affirmer. Je ne te raconte pas mes cauchemars, d'ordinaire, et c'est préférable. Non, un rêve. Je me promenais dans une campagne inconnue et tout à coup, au milieu d'un bosquet de tilleuls, j'apercevais la tombe de Franz Schubert. Tu vois bien que c'est un rêve. Tu vois bien que c'est absurde comme tous les rêves, puisque je ne sais même pas où est la tombe de Schubert. Ce qu'il y a de sûr, c'est que la tombe aperçue au milieu des tilleuls était bien la tombe de Schubert. Le silence était grand. Alors, je me suis mis à parler, dans mon rêve, et je disais : « Maître, maître, m'entendez-vous ? » Et Schubert ne répondait rien. Et je recommençais à crier : « Maître, rappelez-vous! Nous sommes les neveux des arrière-neveux de ceux que vous avez connus. Mais nous vivons toujours de vous, nous vivons toujours des trésors que vous nous avez laissés. Rappelez-vous, mon maître, tous les chants que vous avez composés pour nous et pour les enfants de nos enfants... » Pardon, Cécile, tu ne m'écoutes plus.

— Si, si, j'écoute et même j'attends la suite.

— Alors, comprends bien, Cécile : tout à coup, dans mon rêve, j'ai entendu la voix de Franz Schubert qui montait du fond de la terre. C'était une voix tout ensommeillée, triste et vraiment très lointaine. Elle soupirait : « Que veux-tu? Que me veux-tu? Que faut-il que je me rappelle? » Et moi j'étais ployé en deux, le visage touchant presque l'herbe. Je disais : « Rappelez-vous ce que vous avez fait pour nous. Voulez-vous que je chante *La jeune fille et la mort?* Voulez-vous que je chante *Am meer?* Vous rappelez-vous *l'andante* du trio à trois bémols? » La voix de Schubert est encore sortie de la tombe. Elle était plus triste et plus sourde. Elle disait : « Je ne me rappelle plus très bien. Non, non, c'est trop lointain, maintenant. J'ai maintenant d'autres pensées que je ne peux même pas vous dire. Non, non, je suis trop loin de toi, trop loin de vous, trop loin de toutes les choses d'une vie que je ne comprends plus, que je ne veux même plus comprendre. Va, passant, laisse-moi dormir. »

Laurent baissa la tête et toussa légèrement. Cécile, au bout d'un instant, dit sans le regarder :

— C'est tout?

— Oui, c'est tout.

— Pourquoi m'as-tu raconté ce rêve?

— Oh! fit Laurent avec un geste embarrassé des épaules, je l'ai raconté pour le raconter, rien de plus.

— Cela m'étonne. Tu ne fais presque rien sans quelque obscure raison. Vous êtes tous ainsi, vous autres, les intelligents. Et moi, je cherche à comprendre, alors que je devrais lever les épaules et vous tourner le dos. Ne proteste pas, ne te défends pas. Ton rêve, tu me l'as peut-être raconté pour me prouver que la vie éternelle est impossible.

Comme si les preuves prouvaient quelque chose!
Comme si tes rêves avaient le moindre sens! Tu
es un savant et moi je suis une ignorante. Si, si,
pour la philosophie, je ne suis qu'une ignorante.

— Cécile! cria Laurent en frappant du pied le
sol de l'estrade, ce qui tira de tous les instruments
de musique une plainte longue et harmonieuse.

— Eh bien! oui, appelle Cécile! Elle viendra,
elle répondra. Elle est encore vivante. Oh! je suis
toujours la même Cécile, la Cécile à qui maman
donnait autrefois dix sous pour aller acheter, rue
de l'Ouest, un morceau de savon blanc. Vous, je
veux dire toi, Laurent, et d'autres encore, l'intelligence est en train de vous transformer et de vous
corrompre. J'ai toujours le sentiment que tu vas
me tendre un piège...

Elle s'arrêta, près d'une minute, et poursuivit,
plus bas :

— ...surtout depuis trois ans, depuis... depuis
le mariage.

La salle de musique était médiocrement éclairée
par une seule lampe de pupitre. Laurent vint se
placer tout debout devant sa sœur. Il cherchait à
lui prendre les mains, mais elle les dérobait avec
adresse et les cachait derrière son dos, comme à
la fin des concerts, pour les sauver, ces mains
expertes, pour les sauver de l'enthousiasme brutal
de la foule.

— Mais non, mais non, disait-il, mais non,
sœur! Pourquoi te tendre des pièges? Ne veux-tu
plus que je te dise mes pensées?

— Si tes pensées doivent me faire souffrir, ne
peux-tu les garder pour toi seul?

— Je t'ai toujours dit mes pensées. Autrefois, tu ne refusais pas de souffrir avec moi.

— Mais maintenant, tout est changé.

— Il est impossible que tout soit changé. Ecoute encore, Cécile, je ne comprends pas le ciel.

— Laurent, Laurent, laisse-moi vivre en paix.

Mais le jeune homme, d'une voix opiniâtre :

— Moi, je ne méprise pas l'homme, et voilà pourquoi l'idée de votre ciel m'est presque intolérable. Imagine, Cécile, ma sœur, qu'ils sont là, tous les bienheureux, comme dans une académie ou comme dans une citadelle. Tous, ils ont triomphé des épreuves de la terre. Ils ont été, malgré les défaillances, des hommes admirables. Ils ont baisé les lépreux au visage, soigné les pestiférés, enduré le martyre. Et, à partir du moment où ils ont leur billet pour le ciel, c'est fini, c'en est fini de la charité, comme de toutes les autres vertus. Ils sont les élus, les heureux. Et ils jouissent de leur bonheur. Et ils vont en jouir pendant le reste de l'éternité, tranquillement, égoïstement. Et il n'y en aura pas un seul pour aller trouver Dieu le Père ou, mieux encore, le pauvre Jésus, Jésus le douloureux, et pour lui dire en tombant à genoux : « Seigneur, permettez-moi de descendre en enfer, pour y soigner, pour y consoler les damnés. » Comprends bien, Cécile, soigner les malheureux, consoler les malheureux, voilà ce qu'ils ont fait toute leur existence, les saints. Et je ne peux pas imaginer qu'ils vont soudain renoncer à leur vocation et dire : « Maintenant, c'est fini. J'ai gagné mon fauteuil et ma retraite. » Non, non, c'est une idée insupportable. Pense à Vincent de Paul, ma sœur.

Eh bien! je suis sûr que Vincent de Paul est en enfer, à l'heure actuelle, et qu'il y soigne les suppliciés. Sans cela, il n'est plus Vincent, mais un petit rentier médiocre. Si j'étais Dieu...

— Laurent, Laurent! Tu vas parler comme l'Arkel de *Pelléas* et tu vas dire, toi aussi, de nobles sottises.

— Si j'étais Dieu, je ne souffrirais pas les arrivistes du ciel, ceux qui veulent à tout prix une place au paradis.

— Laurent, tu deviens fou.

— Je ne sais si tu comprends ce qu'il y a d'égoïste dans l'expression « faire son salut ». Ça sent le « chacun pour soi », le « sauve qui peut », l'« après moi le déluge ». Malheureusement, ceux qui ne veulent que « faire leur salut » sont des égoïstes et ceux qui veulent faire le salut des autres sont des tortionnaires ou des indiscrets, des zélés, des arrivistes aussi, à bien regarder.

Cécile saisit la clef d'accordeur et se mit à l'agiter en l'air avec fureur.

— Pourquoi, disait-elle, pourquoi viens-tu toujours me raconter tes rêveries, tes sottises, tes imaginations ridicules? Les saints font ce qu'ils peuvent. Mais moi, moi, je ne suis pas une sainte.

La tête dans les épaules, ses gros sourcils en mouvement, Laurent grondait :

— Rappelle-toi maman, rue Vandamme. Elle disait à Mme Bailleul : « J'aime encore mieux accompagner mon mari dans l'enfer que de m'en aller au ciel, toute seule, au ciel où je n'aurai rien à faire... » Comprends bien, Cécile...

Le jeune homme continua de parler quelque

temps encore, d'une voix sourde, insistante, légèrement rabâcheuse. Cécile, des larmes plein les
yeux, se contentait de répéter en secouant la tête :

— Je t'ai déjà dit que moi je ne suis pas une
sainte. Alors, ne me tourmente pas!

Laurent, d'une main tâtonnante, cherchait son
chapeau, jeté au hasard sur un siège. Il dit encore :

— Où est Richard? Où est ton mari?

— Il est souffrant.

— Comme toujours.

— Oui, comme toujours. Et moi, pardonne-
moi, Laurent, mais je vais avoir à sortir.

— C'est bien, j'ai compris, je pars.

Le jeune homme quitta la pièce en soufflant et
en grognant d'un air bourru.

CHAPITRE III

— Tu me feras l'amitié de croire, dit le Dʳ Raymond Pasquier, comme Laurent se préparait à
replier sa serviette, tu me feras l'amitié de croire
que si je t'ai prié de venir, ce n'est pas pour te
raconter des balivernes. Ne te hâte point. Nous
n'avons pas fini. Que serait un repas sans fromage,
mon cher? Il me semble que je t'ai dit cent fois
mon sentiment sur ce point. Tu es un biologiste,
mon expérience devrait te séduire, et pourtant je
crois que tu n'y comprends pas grand'chose : la
vie t'intéresse moins que les doctrines. Fâcheux,
fâcheux, mon ami.

Le Dʳ Pasquier souleva délicatement la cloche à
fromage, la fit vibrer d'une chiquenaude pour en
éprouver le cristal, considéra d'un œil avivé le plat
qu'elle recouvrait et dit, avec un sourire qui faisait
frémir ses belles moustaches félines :

— Il paraît que les vignerons du Bordelais

parlent, pour le raisin, de la pourriture noble. A mon avis, le mot est faible. Pourriture sacrée me conviendrait mieux.

— Ram! dit Mme Pasquier d'un air contrarié. On dirait que tu prends plaisir à mettre ensemble des mots qui ne devraient jamais se rencontrer.

M. Pasquier choisissait et disposait avec soin sur son assiette, dans un ordre calculé, de petits morceaux de fromage. Il dit, la voix gravement jubilante :

— La vie est une pourriture sacrée. Nous ne pouvons vivre sans faire alliance avec les forces souveraines de la putréfaction. Seulement, nous disons fermentation, par décence, peut-être par peur. Moi, je n'ai pas peur. J'aime la vie, donc j'aime la pourriture sacrée. Regarde bien ce que je mange et sers-toi, mon garçon, si le cœur t'en dit et si tu n'es pas une mauviette comme mon gendre... comment l'appelles-tu? Faubert, Fouchet.... Je ne saurai jamais. Le mari de Cécile, enfin. Regarde, il y a là des fromages de vache, de chèvre et de brebis. Les uns sont diffluents, larmoyants, pressés de se répandre. D'autres sont ambrés, translucides, réduits déjà par une sévère consomption. En voilà qui sont cornés, secs et durs comme des pierres savoureuses. Non, mais regarde, compare et sers-toi, ne serait-ce que pour me donner une opinion avantageuse de ma progéniture. Les fromages les plus frais ne sont pas nécessairement les plus naïfs. Il y en a qui sont, dès l'égouttoir, dès le lait, si l'on peut dire, touchés, hantés par une effervescence démoniaque. D'autres attendent l'extrême vieillesse pour s'abandonner aux

microbes rares et précieux. Et tout cela rivalise
de parfum, d'imprévu, de fantaisie, d'invention.
Pense, Laurent, les microbes! Des milliards d'êtres
vivants qui ont tous une certaine façon de vivre,
des habitudes et de l'imagination, à leur manière.
Eh! Eh! Les gens qui ne comprennent rien au fromage parlent de délicatesse... Ce n'est pas de leur
côté qu'est la délicatesse, mais du mien.

Le gourmet venait de lamper un trait de vin et
reposait sa timbale. Il fit claquer sa langue et dit :

— Je n'ai pas encore eu le moyen de me constituer une cave. On en parlera plus tard, si mes
projets portent fruit, et je ferai vieillir des vins.

— Ram, fit Mme Pasquier d'un air inquiet, tu
ne m'as pas encore parlé de ces projets. Ne vas-tu
pas te lancer dans quelque nouvelle extravagance?

Le Dr Pasquier se leva, remplit sa poitrine d'air,
se donna deux ou trois coups de poing dans les
côtes pour faire sonner la cage thoracique et se
prit à moduler diverses onomatopées et clameurs.

— Extravagance! Houm! Humm! Extravagance!
criait-il. Voilà comme vous parlez, gens de peu de
foi. Vous dites extravagance et moi je dis esprit
d'entreprise, initiative, courage, innovation, curiosité, vitalité. Vous-mêmes, les enfants, qui devriez
me bénir, vous me considérez avec une circons-
pection toute voisine de l'ingratitude. Et, puisque
j'ai l'occasion de vous le dire, eh bien! je le dis.
Tout le monde m'a trouvé ridicule quand l'idée
m'est venue de commencer des études et d'apprendre *rosa-la-rose* à quarante-cinq ans passés. Je
sais, je comprends : j'ai moyennement réussi jusqu'à l'heure actuelle. Mais si je ne m'étais pas

décidé, une bonne fois, si je n'avais pas commencé
mes études, malgré les trembleurs et les pisse-froid,
où seriez-vous aujourd'hui, vous autres? Toi, Laurent, tu serais peut-être employé de commerce
et ta sœur Cécile serait dans la nouveauté, dans la
mode, ou dans quelque chose du genre. Elle mon-
trerait un certain talent sur la mandoline et on
dirait d'elle : « Avec un peu de travail, elle aurait
gagné du renom. » Il faut qu'à certain moment
quelqu'un donne le signal et se dispose à partir.
C'est ce que j'ai fait. Après, le reste marche tout
seul. D'ailleurs, je considère que, pour moi, tout
n'est encore qu'au commencement. Tu verras!
Tu verras! Vous verrez tous!

Le Dr Pasquier s'éclaircit la voix par quelques
« hum! » éclatants et regroupa ses traits pour ce
fameux sourire lointain et dédaigneux qui, dans les
temps anciens, indisposait si fort Laurent et toute
la couvée.

— Mes enfants, dit-il encore, je suis enchanté
de vos triomphes et je ne demande qu'une chose,
c'est de songer enfin à mon triomphe personnel.
Vous avez tous du succès. Suzanne elle-même, la
dernière venue, s'est taillé l'année dernière une
charmante gloire avec cette pièce, d'ailleurs en-
nuyeuse et ridicule, de M. Henry Bataille. Ton
frère Joseph est riche comme Artaxerxès... Cécile
est une princesse de la musique. Rien de plus
mérité, je vous l'accorde. Pour toi, Laurent, on
commence à parler de toi dans les journaux. Tu
perces, mon cher. C'est ton tour. Et vous voudriez m'empêcher de me faire une carrière, moi
aussi... Je vais t'accompagner un peu, mon gar-

çon, et nous continuerons l'entretien sur le boulevard. Lucie, fais-moi l'amitié de croire que je suis absolument de sang-froid et que Laurent est un compagnon de tout repos. Je marche avec lui dix minutes, une demi-heure peut-être, et je reviens sans regarder ni à droite ni à gauche.

Comme le père et le fils descendaient l'escalier, le docteur reprit d'un ton grondeur et scandalisé :

— Ton frère Joseph est étonnant. Il m'a dit l'autre jour que je pourrais me contenter de votre gloire. Joseph est bon! Joseph est excellent! A qui est l'argent de Joseph, je te prie de me le dire? A Joseph tout seul. Et votre gloire, comme il dit? Elle est à vous. Je ne vous la dispute pas, juste ciel! Au contraire. Mais qu'on ne vienne pas me mettre des bâtons dans les roues si j'essaye à mon tour de faire un départ, d'abattre mon jeu, de donner toute ma mesure. J'en ai assez! J'en ai assez de tirer le diable par la queue. Et maintenant, je vais changer toute ma vie.

— Que vas-tu faire? dit flegmatiquement le jeune homme.

— Mon cher, je vais gagner de l'argent. Rien de plus simple.

— Et par quel moyen, papa?

— Par le plus élégant, mon garçon. Je m'étonne seulement de n'y avoir pas pensé plus tôt. Car, en somme, la médecine est une profession perdue. Il faut tous les jours mettre son doigt dans la bouche des gens, ou dans l'œil, ou autre part, enfin tu me comprends. Ce n'est même plus de la science, au train où vont les choses. Eh bien! non, je donne un coup de barre et je change toute la voilure.

— Que vas-tu faire? dit une fois encore Laurent avec le calme de quelqu'un qui n'en est pas au premier entretien de cette sorte.

M. Pasquier fit le geste de caresser ses belles moustaches avantageuses et dit, d'une voix sucrée, filante, roucoulante :

— Je vais devenir un grand écrivain, peut-être un grand auteur dramatique ou peut-être un grand romancier. C'est à voir.

Et, comme Laurent ne cillait point, le docteur poursuivit, campant son haut-de-forme un peu de biais, à la fois sur l'œil et sur l'oreille.

— J'ai commencé. Je te montrerai bientôt le premier de mes ouvrages. C'est on ne peut plus agréable comme travail. Quant aux résultats, tu les connais : des gens comme les Dumas ont gagné des fortunes. Sardou, ça ne se chiffre plus. C'est tout bonnement astronomique. Rostand, qui a du nerf et du bagout, eh bien! il vit comme un millionnaire. Et même ce M. Bataille dont je juge le talent très vulgaire et très peu distingué. Dire que je suis venu jusqu'à l'âge où je me trouve sans avoir envisagé cette solution, la plus simple de toutes. Ah! Laurent, le malheur est que la vie vous empoigne et ne vous laisse même plus le temps de rêver, ce qui est la seule chose intéressante.

M. Pasquier se rengorgea, dans son paletot à col de loutre. Il continuait maintenant de monologuer pour lui-même. Il disait : « Les enfants! C'est très bien, c'est parfait! Ils arrivent et ils vous bousculent. Si, si, mes petits! Vous n'en avez pas l'air, mais c'est comme ça. Moi, moi, je ne suis pas las.

Je n'en ai pas encore assez de la vie. Alors, que les enfants patientent et même qu'ils me fichent la paix.

— Mais, papa, murmura Laurent, je ne pense pas avoir jamais pu t'empêcher de faire ce que tu voulais faire.

— Non, somme toute non, concédait le docteur avec de petits coups de tête. Ce n'est pas que l'envie vous en ait manqué, mais vous n'avez pas réussi. Je parle surtout de ton frère Joseph qui se manifeste comme un gaillard assez redoutable, assez vorace et peu commode. Je ne peux pas te dire non plus que j'éprouve un irrésistible attrait pour l'autre, je veux dire mon gendre. Comment l'appelles-tu? Le mari de Cécile? Voilà trois ans que ça dure et sa tête ne me revient pas...

La pensée de ce gendre ne devait pas retenir longtemps l'attention du docteur, car il ajouta soudain :

— Une chose m'inquiète, mon cher, c'est que je n'ai pas déménagé depuis plus de quatre ans. J'allais dire un siècle. Mais non, j'ai consulté mes livres de bord et même mon journal intime. Quatre ans! C'est grave! Vais-je m'assoupir dans la mollesse? Je te dis que c'est grave! Si je croyais cela, je ferais les bagages demain et frrrt, je prendrais la poudre d'escampette. Attends, attends un peu, Laurent. Tu n'as, je crois, jamais rien compris à mes goûts personnels. Regarde un peu, là, sur la gauche! Ah! mon cher, tu ne sauras jamais regarder une femme avec chic et légèreté.

Le docteur, saisissant le bras de Laurent, fit deux ou trois fois claquer sa langue.

— Mon cher, nous sommes entre hommes et je peux parler franchement. Cette petite qui vient de s'arrêter sur le bord du trottoir, elle n'est pas mal, mais ce n'est pas du tout mon genre. Non, je n'aime pas les pommes vertes. Ce qui me plaît, ce qui me charme, c'est la femme complète, c'est la fleur épanouie. Prenons un exemple. Ta belle-sœur Hélène. Quel âge peut-elle bien avoir aujourd'hui? Ton âge, à peu près. Je ne me rappelle jamais ton âge. Enfin, mettons trente à trente-cinq. Eh bien! c'est une femme parfaite. C'est une femme vraiment à point. Grande, bien en chair, sans excès. Et le sang sous la peau. Ton frère Joseph ne s'en occupe guère. Il a tort. Imagine qu'un jour Hélène rencontre une personne qui s'y connaisse. Pourra-t-on dire, franchement, que ce bougre de Joseph ne l'aura pas mérité? Maintenant, au revoir, mon garçon. Je vais rentrer au logis et travailler à mon livre. Quelque chose de stimulant, je te prie de le croire. La vie, plus vraie que nature. A bientôt, mon cher garçon.

Pendant quelques minutes, immobile sur le trottoir, Laurent regarda s'éloigner la silhouette fringante et cambrée de M. le docteur Pasquier, son père.

CHAPITRE IV

— Mairesse, dit Joseph Pasquier, montrez-moi
d'abord les photographies.

M. Mairesse-Miral venait d'extraire de son ample
serviette de cuir un léger dossier que Joseph saisit
au vol et qu'il se prit à feuilleter d'un œil parfois
attentif et parfois, mais furtivement, rêveur. C'était
une collection de photographies découpées et col-
lées sur de larges feuilles blanches. Presque toutes
ces images représentaient des membres humains
portant des plaies béantes, des têtes éclatées comme
sous l'effet d'une explosion interne, des cadavres
déchiquetés par des blessures barbares.

— Evidemment, murmurait Joseph en pinçant
les lèvres, évidemment, c'est effroyable et cela fera

le plus grand effet. Attendez, Mairesse, vous parlerez tout à l'heure. Laissez-moi regarder toute la
collection.

Au-dessus de chacune des photographies, on
voyait un numéro d'ordre et une indication ma-
nuscrite : 297. Fantassin turc blessé par une balle
bulgare du type Z. — 298. Cadavre turc. Tcha-
taldja. Effet de la nouvelle balle bulgare du type
Z. — 299. Plaie du crâne par balle du type Z.
Andrinople. Civil turc…

— Oui, oui, oui… reprit Joseph en faisant cla-
quer l'ongle de son pouce contre ses dents du haut.
Et pour l'authenticité, pas de blagues, n'est-ce pas,
Mairesse ?

— Oh ! fit M. Mairesse-Miral en insérant entre les
plis de son visage un monocle qu'il laissait ordinairement pendre au bout d'une ganse de moire. Oh !
monsieur Pasquier, vous pouvez être parfaitement
tranquille. Le dessus du panier est irréprochable.
Ce sont d'abord les trois documents qui m'ont été
communiqués par un ami de M. Pierre Loti. Vous
savez que M. Pierre Loti est turcophile. Je suis
personnellement autorisé à publier ces photographies pour servir la cause turque en flétrissant la
barbarie bulgare. Les dix numéros suivants pro-
viennent d'un article de la *Presse Médicale*. Ce sont
des photos prises par les chirurgiens de la mission
internationale. On donnera la référence, bien naturellement. La reproduction n'est pas interdite et,
jusqu'ici, c'est resté dans le monde professionnel.
Pour la suite, c'est authentique aussi, vous le pensez bien, monsieur. Mais dame, ça vient d'un peu
partout. Certaines du Mexique et d'autres de Chine.

Et les retouches sont insignifiantes. Ce que je vous
garantis, c'est que personne au monde ne pourrait
prouver que cela ne vient pas de Constantinople.
D'ailleurs...

— Bien! Bien! dit Joseph. Laissez-moi réfléchir
une minute.

Il s'était mis debout et commença de parcourir
son cabinet. C'était une pièce spacieuse, meublée
dans le goût munichois et dont les hautes fenêtres
donnaient sur la rue du Quatre-Septembre. Joseph
portait une jaquette. Il en relevait les basques pour
se nouer les doigts sur les reins. Il parlait entre ses
dents d'un air préoccupé.

— En somme, disait-il, les livraisons de la Craig
and Websters n'ont commencé qu'en octobre. Il
faut que toutes les photos soient datées de novembre. Attention, pas avant, n'est-ce pas? Aucune
erreur! C'est capital. Je vous ferai remarquer,
Mairesse, que je me moque des Bulgares et même
de leur commande. Mais ils ont essayé de me
mettre dedans. Ils m'ont retiré le marché sans dis-
cussion, comme des mufles. Ils me doivent de
l'argent qu'ils espèrent bien ne pas me payer, ce
en quoi je vous fous mon billet qu'ils se trompent.
Je serai payé jusqu'aux derniers leva, jusqu'aux
derniers stotinkis! Je vous répète que je me bats
l'œil de cette commande. Mais le principe d'abord.
Vous ne savez pas la différence que leur a consen-
tie la Craig and Websters? Non, vous ne pouvez pas
le savoir. Elle tourne autour de vingt leva par
caisse. Une bouchée de pain. Ce n'est pas une question de prix. C'est un truc de gens qui ne veulent
pas payer. Une ruse de marchands de tapis. Eh

bien! ils payeront. Il faut, pour commencer, que
les affaires avec la Craig and Websters soient
arrêtées immédiatement et les contrats résiliés.
Après, vous verrez Moutkourof revenir frapper
chez nous, avec des sourires. Vous êtes sûr de votre
petit bonhomme? Comment s'appelle-t-il?

— C'est Gaston Délia.

— Connais pas.

— C'est que vous ne lisez pas *le Miroir Universel*.

— Effectivement, effectivement, ruminait Joseph, l'air soucieux. Attendez, Mairesse.

— Monsieur!

— Il est tout à fait possible que votre M. Délia
soit une crapule.

— Oui, monsieur.

— S'il nous fait une saleté, — vous me comprenez, Mairesse, — eh bien! ce n'est pas à lui que je
casserai les reins.

— Sans doute.

— C'est à vous, Mairesse.

— Oui, monsieur.

— Ça n'a pas l'air de vous frapper.

— C'est peut-être la cinquantième fois que vous
me le promettez, monsieur. Je commence à prendre l'habitude.

Joseph partit à rire et tendit le doigt vers la
porte.

— Eh bien! s'il est en bas, allez le chercher. Ah!
une minute encore. Il faut que *le Miroir Universel*
lui paye son papier, d'abord, et raisonnablement,
sans cela, que Délia menace de porter le paquet à
l'Illustration. Si vous aviez été homme à tout arran-

ger dans une brasserie, entre copains, le Délia vous
aurait remercié avec des larmes aux yeux. Mais
vous ne savez pas. Il faut que je m'en mêle. Il faut
que je fasse tout moi-même. Non, vraiment, je ne
suis pas aidé. C'est pourquoi le petit bonhomme va
venir ici. Et il va flairer l'argent. C'est lamentable!
Et si ce n'est pas un idiot, il va en demander, de
l'argent. Alors, vous savez, à la dernière extrémité!
Et seulement s'il rue dans les brancards. Et encore
pas plus de cinq cents. Et payables après la publi-
cation de l'article. Délia, ce n'est pas une signature. On me dirait Richepin, on me dirait Sardou,
on me dirait Jean Aicard, ça me frapperait. Ce
sont des signatures. Mais Délia! Délia! Autre chose,
Mairesse. Il faut qu'il rende les photographies
dans les deux jours. Maintenant, j'aime mieux
qu'il pense que je porte aux Turcs un intérêt sen-
timental. Expliquez-lui, en montant, que nous
sommes amis intimes, Nazim Pacha et moi. Encore
une chose. Il faut que le papier passe tout de suite,
vous m'entendez, tout de suite. Juste le temps de
clicher. Imaginez qu'ils l'arrêtent tout à fait, cette
guerre. On ne sait jamais, avec toutes les chinoise-
ries des diplomates. L'armistice traîne un peu.
Eh bien! si la guerre s'arrête, j'aurai fait des frais
pour rien... Ce qu'il faut bien monter en épingle,
c'est le côté humanitaire de tout le truc. Pensez,
des balles explosives ou c'est tout comme! Au fond,
c'est scandaleux... Dépêchez-vous, Mairesse, et re-
montez plus vite que ça.

Deux minutes plus tard, M. Mairesse-Miral péné-
trait de nouveau dans le cabinet de Joseph Pasquier, en compagnie d'un jeune homme d'aspect

chétif, enveloppé d'un pardessus trop long dont les manches lui cachaient les mains. Joseph jeta sur le visiteur un regard bref et corrosif, le temps d'apercevoir le profil de rongeur, les yeux malins et clignotants, la luisante mèche plaquée sur un crâne étroit, les traits fatigués, souffreteux. Joseph tendit la main au jeune homme et le poussa devant la table avec cette cordialité brutale qu'il mettait à toutes choses.

— Si, si, disait-il, asseyez-vous, monsieur Délia. M. Mairesse m'a beaucoup parlé de vous. D'ailleurs je lis vos articles et je les aime. Vous êtes un défenseur de la justice et de l'humanité. J'aime ça. M. Mairesse vous a dit que je pouvais mettre à votre disposition — et c'est seulement parce que M. Mairesse est votre ami — une documentation du plus haut intérêt concernant l'armement bulgare. Enlevez votre pardessus, monsieur Délia. Non, vous préférez le garder ? A votre goût. Asseyez-vous franchement. Nous en avons pour un bon quart d'heure. Vous êtes un homme de métier et vous pensez bien que je ne vais pas vous le dicter, votre article. Mais je voudrais vous développer, dans l'ordre, toutes les idées principales. M. Mairesse va vous donner du papier. Installez-vous. Prenez vos aises. Le titre, d'abord. Il est essentiel. Je vous propose celui-ci : *La vérité sur les balles explosives employées dans l'armée bulgare.* N'oublions rien. Vous savez que la presse allemande a publié, la semaine dernière, des articles sur les blessures causées aux soldats turcs par certaines balles bulgares. Les journalistes allemands ont même reproduit quelques documents photographiques assez

démonstratifs. On va s'occuper de la chose à La
Haye et cela fait du bruit à Londres, parmi les plé-
nipotentiaires de l'armistice. Les Bulgares vont se
trouver dans une mauvaise posture morale. Ils ne
l'auront pas volé, mais il s'agit d'abord de voir
clair. La vérité avant tout. Puisque vous prenez des
notes, dites-moi si je vais trop vite. Il est certain
que, jusqu'au début de novembre, les plaies causées par les projectiles bulgares étaient parfaitement normales et n'avaient donné lieu à aucune
protestation. Puis, tout à coup, les médecins turcs
ont signalé des catastrophes et les reporters ont
fait circuler le bruit que les Bulgares employaient
des projectiles prohibés, ce qui est une fâcheuse
preuve de sauvagerie. Eh bien! monsieur, les faits
sont, en même temps, beaucoup plus graves et
beaucoup plus mystérieux. Ecrivez, écrivez. — Il
faudra souffler, amplifier un peu, faire mousser,
disposer à l'entour un peu de littérature, de bonne
littérature. Vous n'êtes pas en peine. C'est votre
métier. — A première vue, on pourrait, en effet,
croire que, dans les derniers mois de la guerre,
l'armée bulgare a fait usage de balles explosives.
Et, malgré les apparences, ce n'est pas vrai. De
l'enquête à laquelle plusieurs de mes amis se sont
livrés sur place, il résulte de façon formelle que
l'armée bulgare n'a pas failli, dans ces derniers
temps, à ce qu'on appelle les lois de la guerre, au
moins dans l'esprit, au moins dans l'intention.
Mais elle s'est servie d'un matériel défectueux, ce
qui revient au même dans les faits. Les balles de
mousqueterie employées par l'infanterie bulgare —
vous savez sans doute que l'arme normale est un

Mannlicher, modèle 92 — les balles employées
dans ces derniers temps sont des balles d'ordon-
nance à chemise de maillechort de fabrication
défectueuse. Ne craignez pas de donner des détails.
Développez, amplifiez, dénichez des documents
accessoires. Le maillechort est un alliage de cuivre,
de zinc et de nickel. Par malheur, le maillechort
employé pour les balles bulgares du dernier modèle
est trop faible en nickel, métal coûteux comme
vous le savez. C'est, proprement, une malfaçon.
Cette malfaçon a des conséquences épouvantables,
puisque les blessés turcs portent des plaies comme
celles que vous pouvez voir sur nos documents
photographiques. Notez en outre que les blessés
survivants sont rares. La plupart périssent, mutilés
de façon dramatique, dans des souffrances impossibles à décrire. Vous comprenez?

— Oui, monsieur.

— Résultat, la faute n'en est pas au combattant
bulgare dont la bravoure légendaire et les senti-
ments de l'honneur ne font même pas question. La
faute en est à des industriels sans scrupules qui sont
en train de déshonorer la guerre. Voilà, monsieur
Délia, des phrases qui me semblent assez suggesti-
ves et que vous pourriez, sans hésiter, introduire
telles quelles dans votre article. Bien. Pensez à
l'effet moral que doit produire sur votre public
cette extraordinaire collection de photos — j'allais
dire cette admirable collection. Mais le mot est dangereux. Bien qu'il puisse y avoir de l'admirable
dans l'horrible, comme a dit je ne sais plus qui. —
Prenez le dossier, monsieur Délia. J'aimerais, si
vous n'y voyez pas d'inconvénient, lire le brouil-

lon de votre article demain. M. Mairesse va vous
rejoindre à l'étage inférieur. Permettez, monsieur
Délia, j'ai lieu de retenir M. Mairesse pour quelques communications étrangères à notre projet.
A demain, monsieur, et mes salutations sincères.

Le petit bonhomme, déjà, s'effaçait dans la
pénombre de l'escalier. Joseph saisit M. Mairesse-
Miral par l'épaule et le fit pivoter sur les talons.

— Vous allez rejoindre votre journaliste et continuer de l'endoctriner, Mairesse. Vous avez vu le
style, le ton, le mouvement. Ces choses-là, Mairesse, c'est vous qui devriez les mener d'un bout à
l'autre. Le petit bonhomme est minable. Nous lui
donnons pour rien un article à sensation. Alors, ne
parlez pas d'inden... ˙˙ supplémentaire. Il n'osera
rien réclamer, il est trop chétif. Il faut que l'article
passe jeudi prochain. Et, tout de suite, deux numéros à la légation bulgare. Un service à tout le corps
diplomatique. Un service particulier sur bonnes
feuilles, à toute la presse. La Bulgarie ne pipera
pas. Mais les commandes à la Craig and Websters
seront plus que probablement compromises. Vous
savez que cette histoire de nickel est tout à fait
vraisemblable. Nous, nous leur fournissions de
bonnes balles faites à Karlsruhe avec tout le nickel
nécessaire. Vous savez que l'Allemagne est un pays
producteur de nickel. Vous me regardez, Mairesse.
Vous avez l'air étonné, mon cher. C'est incroyable!
Vous savez que c'est l'Allemagne qui fournit les
munitions à la Turquie. Elle ne peut pas les fournir
directement à la Bulgarie. Alors, c'est nous qui
nous chargeons de faire parvenir à Sofia la bonne
camelote allemande. La Craig and Websters va

sentir passer le coup. Ce qui me fait plaisir, dans une affaire comme celle-là, Mairesse, c'est qu'au point de vue de l'humanité, elle est irréprochable. Moi, je ne demande qu'à rester en règle avec l'humanité, n'est-ce pas? J'ai trois enfants et, au bout du compte, je ne suis pas plus méchant qu'un autre et je suis même un père plutôt tendre. Je ne souhaite la guerre pour aucun pays. Personne ne souhaite la guerre. Mais puisqu'elle est déclarée, puisqu'elle existe et qu'il y a des gens qui en tirent de l'argent, je ne vois pas pourquoi je n'en prendrais pas ma part. Ne vous y trompez pas, Mairesse...

M. Mairesse-Miral laissa tomber son monocle et salua, en s'inclinant avec une légère exagération.

— Je n'ai pas à me tromper, monsieur. J'admire, tout simplement.

Joseph était fait aux flatteries du vieil homme. Il les attendait comme un tribut réglementaire et ne laissait pas d'en jouir une seconde, au passage.

— Et maintenant, dit-il, qu'on fasse entrer l'inventeur, le type qui m'embête depuis trois semaines avec son appareil pour remplacer les bouchons de liège par je ne sais quelle saleté; enfin, vous savez bien, le maniaque, l'imbécile qui va encore me faire perdre trois minutes.

CHAPITRE V

Un large peigne en main, Justin Weill s'efforçait de rejeter en arrière et de lisser en la mouil-
lant un peu sa chevelure couleur de flamme.

— Est-ce possible? fit Laurent. Tu perds tes
cheveux, vers les tempes.

Justin se retourna d'un mouvement brusque et
dit avec amertume :

— Je ne vois pas pourquoi je ne perdrais pas
mes cheveux comme un autre. Est-ce parce que je
suis Juif que je n'aurais pas le droit de perdre mes
cheveux? Est-ce que les Juifs ne vieillissent pas
comme les autres hommes? Est-ce que nous
n'avons pas, comme les autres, des veines, des
artères et du sang qui charrie des poisons? Est-ce
que nos poisons ne sont pas semblables aux poisons
de tous les autres hommes? Oui, je perds mes cheveux et j'engraisse. Comme je ne suis pas très
grand, c'est déplorable. J'ai cessé d'être un petit
Juif pour devenir un gros Juif. Je n'ai pas eu la

chance d'être désigné pour la catégorie « Juif maigre et grand » qui existe aussi.

— Une chose évidente, murmura Laurent, c'est que tu prends petit à petit un caractère exécrable.

Justin haussa les épaules avec ostentation. Il commençait de brosser sa veste et, de temps en temps, avec la pointe du canif, il raclait quelque petite tache d'un air appliqué.

— Rappelle-toi, dit-il d'une voix plus basse : quand nous avions quatorze ou quinze ans, je te faisais des confidences. Je te disais même que je n'étais pas sûr de n'être pas le messie, que le messie, pour nous, devait encore venir et qu'il n'était pas prouvé que ce ne serait pas moi, et qu'en tout cas, je n'entendais pas rester un petit Juif, mais que j'étais sûr de devenir un grand poète juif et même un grand Juif, tout court. Voilà : je suis seulement devenu un gros-petit-Juif. Et, ce qu'il y a de plus grave, c'est que j'en ai pris mon parti. Je serai un Juif comme les autres, comme la foule des autres. Un petit Juif français qui cherche péniblement sa voie, son étoile et sa destinée. Et pendant ce temps, les années passent. J'ai déjà vécu une très grande part de ma vie. Peut-être la moitié. Peut-être beaucoup plus de la moitié. J'ai trente-deux ans! D'ailleurs, nous avons le même âge tous les deux.

La chambre de Justin était étroite et pauvrement meublée. Laurent se leva, fit deux pas, toucha la muraille du doigt et dit sans douceur :

— Je te plains! Je te plains! Tu as si grand besoin d'adversaires que tu en cherches à tout prix, même en ton meilleur ami. Ah! n'insistons pas, je te le demande. Que faisais-tu là quand je suis arrivé?

Des vers! Mais, Justin, si tu recommences à travailler, tu es sauvé, tout va bien! Rien n'est perdu!

Sans répondre, Justin saisit sur la table un feuillet couvert de lignes raturées et de croquis informes. On y pouvait lire, avec de l'attention, deux strophes à peu près achevées :

> Golfe d'ombre et de silence,
> O chambre! O paix sépulcrale!
> Le flot ronge les épaves
> De mes songes naufragés.

> Je n'ai pas conquis le monde
> Et ni même un cher amour.
> Je n'ai pas conquis mon âme,
> Je ne me suis pas conquis.

— Mais, dit Laurent à mi-voix, avec une émotion sincère, il me semble que c'est bien, que cela part bien...

— Ce n'est pas un départ, soupira Justin. Je ne sais pas si je t'ai dit que ma dernière petite plaquette de prose, *Essai sur la répartition des biens temporels*, a eu très mauvaise presse. Paul Souday a fait quatre lignes dans le *Temps*. Il a parlé de « démagogie intellectuelle » et de « socialisme de bazar ». Ce n'était pas long. Quatre lignes! Mais il a encore eu la place de dire que les gens de ma sorte finiraient par compromettre les causes les plus raisonnables. Voilà!

Et Justin poursuivit, l'accent funèbre :

— Ce qu'il y a d'agréable dans les mauvais articles, c'est que l'on n'est pas obligé de remercier.

Laurent commençait de rire quand, soudain,
Justin Weill, ressaisi de fureur, se prit à vociférer :

— Injustice criminelle! Il n'y a pas d'autre mot.
On nous accuse volontiers de tout prendre et
c'est justement le contraire. Nous vous avons tout
donné. Les fables sur lesquelles vous vivez, ce sont
des fables à nous. Les mots et les images! Tout
vient de nous, tout est dans le Livre. Si vous voulez
exprimer la joie, vous criez *Alleluia!* et c'est un
mot hébreu. Si vous formez un vœu, vous dites :
Ainsi soit-il, ce qui se prononce *Amen*, et c'est
encore un mot hébreu. Ayez le courage de prétendre que le mot Jérusalem ne vous touche pas
jusqu'aux fibres du cœur. Nous vous avons tout
donné, même votre Dieu, ce qui signifie le Dieu
de vos religions officielles.

— Je ne t'ai jamais dit le contraire, répondit
Laurent avec humeur. Et je me demande pourquoi...

— Comprends-moi bien, fit Justin s'efforçant à
sourire et tournant soudain vers Laurent ses beaux
yeux embrumés, son nez aux grandes ailes re-
muantes, sa bouche humide et charnue, comprends-moi bien : je suis sûr que tout ce qui se
passe en ce moment, cette guerre des Balkans, ce
micmac européen, toutes ces saletés, toutes ces
chamailles, cela va se retourner contre nous. Je
suis sûr que nous serons encore une fois les victimes...

— Oh! vous ne serez pas les seules victimes.

— Excuse-moi, Laurent, nous avons l'habitude, nous autres, de sentir le malheur de loin et de
crier sans attendre. C'est ce que je disais, hier en-

core, à Chérouvier. Tu connais à peine Chérouvier. Ce n'est presque pas croyable. Le plus grand
esprit de ce temps! Et, qui mieux est, grand esprit
et grand cœur. Un homme, un homme dans toute
la force du terme. Oui, je sais, tu te défies des maîtres, depuis les histoires que tu as eues avec tes
patrons, avec Rohner, avec Chalgrin et quelques
autres...

— Attention! Attention! soupirait Laurent, ne
me fais pas dire ce que je n'ai jamais dit, ce que je
n'ai pas même pensé. Je suis toujours obéissant et
fidèle. J'ai toujours des maîtres. J'aime toujours
mes maîtres. Je salue en eux des idées, les idées
que je me fais de certaines choses...

Justin eut un rire juvénile.

— Des symboles, autrement dit. Mais, un jour,
nous irons ensemble chez Noël Chérouvier et tu
verras un homme. Le malheur est que cela ne t'intéresse peut-être pas. Laurent, Laurent, nous
n'allons plus dans le même sens. Tu es en train
d'assister à un extraordinaire chambardement
social et tu n'as même pas l'air d'y faire attention.
Nous sommes de vieux amis et nous nous aimons
toujours, c'est clair; mais nous ne sommes plus
bouleversés par les mêmes choses. Rappelle-toi
cette fameuse lettre que tu m'as écrite, après la
mort de Sénac. Tu disais : « Nous arrivons à l'âge
où nous devons choisir les problèmes qui nous
intéressent et prendre nos décisions. » Tu disais
cela ou quelque chose d'approchant. Ça ne te
déchire donc pas de constater cette séparation et
de penser qu'un jour nous nous séparerons tout à
fait. Les amis finissent toujours par se séparer. Il

y en a qui ont la chance de mourir avant.

Laurent saisit Justin par les épaules et se prit à le secouer avec une rage cordiale.

— Justin! disait-il. Justin, tu es malade et tu deviens exaspérant. Mais oui, nous travaillons chacun de notre côté, chacun dans notre terrier, dans notre trou de mine, parce que maintenant nous sommes des hommes. Et il y a des choses de moi que tu ne connais pas du tout. Je ne te le reproche pas. Je trouve cela naturel.

— Explique-moi ces choses, cria Justin de cette voix dramatique, un peu sanglotante, qu'il retrouvait parfois comme un souvenir de son adolescence. Explique-moi ce qui t'intéresse. Moi, je ne demande qu'à te suivre.

— Oh! fit Laurent en secouant la tête. Si je te parlais des coquilles sénestres du *Bullinus* et du *Physopsis*...

— Oui! je vois, grondait Justin Weill en souriant : tu es un savant, un monstre de laboratoire. Tu ne penses plus à l'homme.

— Je te demande pardon, fit gravement Laurent. Un jour, je t'expliquerai tout au long en quoi les coquilles sénestres et les plantes grimpantes posent à l'homme des problèmes effrayants qui méritent de retenir les esprits les plus élevés.

— Explique-moi cela tout de suite.

— Tout de suite, sur le pouce, pour vider l'affaire en cinq-secs et qu'il n'en soit plus question. Non, vieux frère, je t'expliquerai ça plus tard, un jour où tu seras vacant, franc, délivré.

— Délivré de quoi?

— De toi-même.

— Crois bien, fit Justin, que je ne songe pas à contester l'importance de tes problèmes. Et pourtant, Laurent, tu ne peux nier qu'il existe une hiérarchie des questions et que, dans l'état actuel du monde, cette hiérarchie est déterminée par l'urgence. As-tu vu le dernier numéro du *Miroir Universel?*

— Non, non, je ne l'ai pas vu.

— Par conséquent, tu n'as pas lu l'article sur les balles explosives.

— Quelles balles explosives?

— Les balles explosives employées par les Balkaniques. Attends! C'est beaucoup moins simple que cela ne paraît. L'emploi des balles explosives est formellement interdit par la convention de Genève. Un peuple civilisé ne se permettrait sûrement pas d'employer des balles explosives. Or, il est démontré maintenant que certains trafiquants de munitions ont livré récemment à l'armée bulgare des balles d'un modèle apparemment réglementaire mais dont la fabrication est défectueuse et qui se comportent en réalité comme de redoutables balles explosives.

— Attends! Attends! Ne nous emballons pas.

— Pourquoi veux-tu m'empêcher de m'emballer, comme tu dis? Tu n'as pas l'air de saisir la gravité du problème, au point de vue humain.

— Si, mais, moi, je suis médecin. Je peux t'affirmer que presque tous les projectiles, s'ils rencontrent un os, par exemple, au milieu des tissus, ou s'ils ont au préalable ricoché sur une surface dure, se comportent à peu près comme des projectiles explosifs ou, du moins, comme on croit en général que se comportent les projectiles explosifs.

— C'est impossible. Tu n'as pas vu les photographies. Elles sont abominables et convaincantes.

— Je connais la question et je t'affirme qu'une balle ordinaire peut faire des plaies terribles. Ce qui est grave, ce n'est pas la question de manquer ou de ne pas manquer aux conventions internationales...

— Ah! dit Justin en secouant la tête. Vous êtes tous les mêmes, vous autres, les gens de laboratoire. Je te l'ai dit, je te le répète, Laurent, tu perds de vue le vrai problème humain. Tu sais que Chérouvier va publier un article sur cette histoire des balles mutilatrices et qu'il pense même à faire circuler une protestation.

— Si je le connaissais, Chérouvier, dit Laurent en secouant la tête, je lui conseillerais de se renseigner sérieusement.

— Mon pauvre ami, nous n'allons pas nous aviser de donner des conseils à Chérouvier.

— Mais, dit Laurent, pourquoi pas?

Justin, qui s'efforçait à marcher de long en large dans l'espace étroit de la chambre, s'arrêta soudain en face de Laurent. Il le regarda longuement, de ses yeux brillants de fureur, puis il dit, la voix frémissante :

— Laurent!

— Quoi!

— Qu'il n'y ait pas d'erreur entre nous! C'est impossible! Dis-moi, là, franchement, les yeux dans les yeux, que tu n'admets pas un instant, pas un seul instant, l'idée des balles explosives.

Laurent haussa les épaules.

— C'est absurde! Tu penses bien que je suis tout à fait de ton avis. Mais...

— Mais...

— Non, rien. Les hommes ne peuvent pas se comprendre. Et c'est tout aussi terrible que les balles explosives.

— Comme tu es raisonnable, Laurent!

— Oh! je ne suis pas raisonnable avec tout le monde. La semaine dernière encore, on m'a traité de fou.

— Qui?

— N'importe!

— Qui? Je te le demande.

— Ma sœur Cécile.

— Je m'en doutais.

Justin tourna le dos et s'en fut à la fenêtre. Au bout d'un long moment, il dit, la voix soudain calme :

— Comment vont-ils?

— Eh! mais, pas mal. Bien, même. Je ne sais trop.

— Tu le vois parfois, lui, Fauvet?

— Oui, je le vois, sans exagération.

— Pourquoi? Tu ne l'aimes pas?

— C'est un pur intellectuel.

— Ce qui signifie?

— Rien. Je suis un intellectuel, moi aussi, à tout prendre.

— Tu n'aimes pas les intellectuels?

— Non.

— C'est franc.

— Oui. Dis-moi, Justin, mon père s'est mis en tête d'écrire un livre, un roman, et d'être un grand

écrivain. Il ne dit pas un écrivain, il dit un grand
écrivain.

— Encore un intellectuel!

— Peut-être. Il m'a raconté, en partie déjà, le
sujet de son livre. J'ose à peine te dire que cela
me semble très intéressant, très vivant.

— Pourquoi pas?

— Songe qu'il a soixante-sept ans. Je le lui ai
dit, avec les précautions d'usage. Il m'a répondu
que Cervantès avait cinquante-huit ans quand il a
publié *Don Quichotte*, que l'illustre écrivain espa-
gnol était alors complètement usé par la vie; mais
que lui, Raymond Pasquier, se trouvait dans une
forme excellente et que, pour la souplesse des
tissus et l'agilité des neurones, il s'estimait comparable à un homme de quarante ans. Il m'a
d'ailleurs prié...

— De quoi donc?

— De lire son manuscrit. Et comme je ne suis
pas compétent, je te demanderai d'y jeter un coup
d'œil avec moi.

Justin Weill se prit à rire.

— Je t'aime assez pour faire des choses plus
difficiles. Si ça peut t'être agréable...

CHAPITRE VI

LA MAISON DE LA RUE DE PRONY. LE GROUPE DE MON-
CEAU ET LES PHILOSOPHES DU PARC. UNE RÉUNION
DU NOUVEAU PORTIQUE. MISE EN ACCUSATION DE
NOEL CHÉROUVIER. LES DEVOIRS DE L'ESPRIT ET LA
FACULTÉ D'OPTION. ENTRETIEN DANS UN ESCALIER.
RICHARD FAUVET REÇOIT UN AVERTISSEMENT. DESTIN
D'UN VASE DE FAÏENCE. ALLOCUTION EN LANGAGE
CONFIDENTIEL.

Parvenue sur le palier du premier étage, Cécile
s'arrêta quelques secondes. Un bruit de voix et
de rires, étouffé par les cloisons, les portes et les
tentures, parvenait jusque dans la paix à demi
ténébreuse de l'escalier. Cécile s'appuya de l'épaule
à la muraille. Elle sentait, petit à petit, l'attention
lui nouer les sourcils qu'elle avait presque noirs,
mobiles et d'un dessin très pur.

La maison de la rue de Prony comptait deux
étages et des combles habitables. Au rez-de-chaus-
sée, se trouvaient les lieux de réception et la salle
de musique. Jusqu'à son mariage, Cécile avait vécu
seule au premier étage, avec Félicienne, la servante
sans reproche et sans défaillance. Plus tard, après
la naissance du petit Alexandre, Cécile, abandon-

nant à son mari l'appartement de leurs débuts,
s'était retirée au second étage avec la servante et
l'enfant. Elle avait là sa chambre, toujours sur-
chauffée dans la saison mauvaise, un piano
d'étude, le clavecin préféré, des livres, des partitions.

Richard Fauvet avait aussitôt bouleversé la partie
de la maison qu'il pouvait désormais considérer
comme son domaine personnel. Il avait fait instal-
ler un petit laboratoire, une bibliothèque à la place
de l'ancienne chambre de Cécile, un fumoir con-
fortable dans lequel il recevait, deux ou trois fois
la semaine, des amis et des élèves. Pendant ce
remaniement et, un peu plus tard, pendant l'ins-
tallation de la salle de musique, Fauvet, pour fuir
la maison que les ouvriers occupaient, s'en allait
avec sa troupe de fidèles palabrer au parc Monceau.
C'était pendant l'été de l'année 1910. Les amis de
Fauvet, alors fort échauffés par le lancement de
leur revue, s'installaient pour deviser dans cette
partie du parc où s'élèvent les gracieuses colonnes
de la Naumachie. Le groupe avait naturellement
trouvé là son nom : Groupe de Monceau. Dans la
presse et les cénacles, on les appelait encore les
Moncéliens ou les Philosophes du Parc, appellation
que Richard goûtait entre toutes. C'est en contem-
plant les arcades légères de la Naumachie qu'il
avait, environ ce temps, trouvé le titre de sa revue :
Les Cahiers du Nouveau Portique. L'expression,
par la suite, avait subi des métamorphoses fami-
lières. Quand Richard était souffrant, il télépho-
nait à ses amis et collaborateurs : « Impossible de
faire portique. » Et les Moncéliens, en s'abordant

dans les couloirs de la Sorbonne ou dans les laboratoires du Collège de France, demandaient avec
le plus grand sérieux : « Fera-t-on portique
demain? Que dit Fauvet? Comment va Fauvet? »

Aux conciliabules des Moncéliens, on rencontrait
d'ordinaire des amis et des contemporains de Laurent : Vuillaume et Roch, parfois le physiologiste
Victor Legrand, parfois même Schleiter que la
politique absorbait chaque jour davantage. On y
voyait également Emmanuel des Combes, Siegfried
Léon et deux jeunes filles, Simone Vèze et Eva Gon-
non, que Richard avait quelque raison de considérer comme ses ferventes disciples. Le plus souvent, les arcades et les lierres du parc étaient aban-
donnés pour le fumoir de la rue de Prony. Ce
fumoir présentait une particularité remarquable,
c'est que l'on y fumait fort peu. Il convenait de
ménager la poitrine de Fauvet, harcelé par des
crises d'asthme.

Cécile, d'un mouvement lent, venait de se déta-
cher de la muraille. Elle fit un pas, avança la main
vers le bouton de la porte, puis elle recula cette
main, puis elle l'avança de nouveau. Pour finir,
elle ouvrit la porte et pénétra dans le fumoir d'un
pas vif.

— Ah! dit Richard Fauvet au milieu d'un soudain silence, voilà sans doute une visite que nous
n'osons pas souvent espérer et que nous n'avons
presque jamais l'honneur de recevoir. Allons,
soyez humaine, Athéna, puisque vous êtes entrée,
puisque vous avez daigné prendre la peine de pousser la porte, asseyez-vous une minute, Athéna.
Non, non, ne froncez pas les sourcils, je vous en

conjure. Pour moi, vous n'êtes pas Euterpe, vous
êtes mieux, beaucoup mieux, vous êtes Minerve la
sage, vous êtes Athéna, mère des arts.

Cécile fit un mouvement imperceptible des
épaules et s'assit, toute raide, sur l'extrême bord
du sofa de cuir. Les regards s'étaient soudain tour-
nés vers elle et la conversation semblait interrompue. Cécile ne rougissait pas, mais de petites taches
roses venaient d'apparaître, clairsemées, sur ses
joues et ses tempes.

— Vous connaissez tout le monde, reprit Richard, et les présentations me semblent parfaitement superflues. Vous tombez, chère Athéna, dans
un moment de l'entretien qu'il n'est pas exagéré de
dire pathétique. Connaissez-vous l'illustre monsieur Noël Chérouvier?

De la paupière, Cécile fit un signe affirmatif.

— Vous ne vivez pas sur la terre, Athéna, mais
vous connaissez Chérouvier. Il n'y a pas à dire,
c'est la gloire! La gloire pour Chérouvier. Pour
vous, l'affaire est entendue depuis longtemps.

Le jeune homme venait de s'emparer d'une règle
de cristal fluorescent dont il se servait comme un
chef d'orchestre de sa baguette. Il était assis dans
un fauteuil de bureau, derrière la table chargée de
paperasses. Une longue robe de chambre doublée
de soie l'enveloppait jusqu'aux chevilles et un foulard blanc se nouait lâchement à son col. Il semblait de petite stature, mais bien proportionné. Il se
reprit à parler. La voix était sèche, mate, sans
vibration, précise et percutante.

— M. Chérouvier, que nous appelons, entre
nous, selon les circonstances, Jérémias, ou l'Indi-

gné de carrière, ou le Prophète de la Contrescarpe,
à cause de son domicile, ou le Vain Généreux —
v. a. i. n. oh! ce n'est pas très spirituel, mille excuses, Athéna — M. Chérouvier a publié, hier,
dans *Paris-Journal*, un article de sa façon que vous
avez eu la charité de ne pas lire, chérie, mais qui
pose à notre regard un problème dont le moins
que l'on puisse dire est qu'il se montre, je le
répète, pathétique.

— Attendez! Attendez! fit Emmanuel des
Combes, Mme Fauvet n'a peut-être pas eu connais-
sance de l'article paru dans le *Miroir Universel*.

Des Combes était un grand garçon à la figure
loyale et franche, tout entière déterminée par un
gros, grand et candide nez d'acteur. Il attachait sur
Fauvet un regard attentif dans lequel on percevait
souvent une nuance d'admiration extasiée.

— Il faut quand même, dit-il de sa belle voix
ronde et sympathique, il faut quand même remon-
ter aux sources. *Le Miroir Universel*, journal illus-
tré des plus populaires, a publié, jeudi, un article
accompagné de nombreux documents photographiques sur l'effet quasiment explosif produit, pendant les semaines qui ont précédé l'armistice, par
certaines balles de fusil employées dans l'armée
bulgare.

— Parfaitement, reprit Fauvet. Cet article n'a
pas manqué d'enflammer le très combustible
M. Chérouvier qui vient de publier, à son tour, un
article par lequel il convie le monde intellectuel
tout entier, rien de moins, à protester contre ce
qu'il appelle le déshonneur de la civilisation. A
l'heure actuelle, probablement, tous les chevaliers

de l'humanitarisme doivent être en mouvement et j'imagine volontiers que notre beau-frère, Laurent Pasquier, circule dans les hôpitaux et les laboratoires, une liste aux doigts.

— Ne parlez donc pas de Laurent quand il n'est pas là pour vous répondre, fit Cécile avec roideur.

— Ce que je dis n'est pas offensant pour Laurent dont je connais les remarquables qualités et à qui je dis toujours tout ce que je crois devoir dire. Mais ne désertons pas la question véritable. Comprenez-moi, Athéna, les gens de l'espèce de M. Chérouvier vont si bien faire qu'ils finiront par embrouiller définitivement un débat que, nous autres, nous nous efforçons de purifier et d'élever sans cesse. La question des balles explosives mérite d'être examinée par les spécialistes. Elle ne nous intéresse pas. Ce qui nous intéresse, et au plus haut point, c'est la manie qu'a Noël Chérouvier de mêler des éléments sentimentaux, des éléments parasites au problème de la civilisation qui est une affaire d'intelligence pure.

— On m'a dit, fit à la faveur d'un silence le jeune garçon nommé Siegfried Léon, on m'a dit que le poète grec Matsoukas rend de fréquentes visites à l'armée d'Epire et qu'il harangue les troupes en campagne.

— Le premier devoir de l'esprit, déclara Richard Fauvet, est, pour se trouver sans cesse apte à remplir sa fonction essentielle, de conserver ce que j'appellerai la faculté d'option. Le second devoir de l'esprit est de n'accepter jamais d'être dupe. Le troisième devoir de l'esprit est d'éviter avec soin

les pièges qui peuvent soit l'entraîner dans l'humiliation, soit le précipiter dans la servitude. Je me
suis demandé, mon cher des Combes, lequel de
nous devait répondre à Chérouvier pour fixer nos
positions. Si vous n'y voyez pas d'inconvénient,
j'écrirai l'article : il est tout préparé dans ma
tête, et nous arriverons à temps pour le prochain
numéro de la revue. Mais que faites-vous,
Athéna ?

Cécile venait de se lever, l'air calme, le visage
détendu. Richard Fauvet reprit, d'une voix paisible
et nette :

— Je ne méprise pas la naïveté. Je dis seulement
qu'elle est le plus dangereux adversaire de l'intelligence, de l'intelligence qui comprend tout, qui
pèse tout et qui choisit. Vraiment, vous voulez
nous quitter, chérie ? Vous ne pouvez savoir à quel
point j'en suis fâché.

— Excusez-moi, Richard...

— Cécile, si vous nous faisiez parfois l'amitié de
prendre part à nos entretiens, vous diriez sans
doute, pour notre enchantement, des phrases délicates et profondes dont nous ferions notre profit.
Ne protestez pas, Athéna. Je ne suis pas musicien,
moi, et pourtant, parfois, il me semble que la mission m'est confiée de comprendre et d'expliquer ce
que vous faites si bien, vous, de célébrer vos trou-
vailles et de déceler vos erreurs. Ne froncez pas
les sourcils, chère, vous êtes la première musicienne du monde et vous vous trompez parfois, par
exemple quand vous faites une petite crise de senti-
mentalité, quand vous subissez ce que nous pour-
rions appeler un léger accès de chérouvisme. Une

seconde! Une seconde! Permettez-moi, Cécile, de vous dire trois mots en particulier.

Le jeune homme, esquissant un signe de la main vers l'assistance, accompagna Cécile jusque sur le palier et tira délibérément la porte sur ses pas.

— Athéna, chérie, disait-il d'une voix tout à coup douce et cajoleuse, vous êtes la plus glacée des divinités bienfaisantes. Il y a là, chez moi, des gens qui vous admirent et même qui vous aiment. Vous n'avez eu, ni pour les uns, ni pour les autres, la charité d'un regard, d'un mot, d'un sourire.

— Pardonnez-moi, Richard, fit Cécile en écartant les bras avec un embarras mal déguisé. Je ne sais que dire, dans vos discussions. Je me sens terriblement maladroite, presque déplacée. Et je crois prudent de m'abstenir.

— Si vous aviez été plus charitable, reprit Richard en cherchant ses mots, je vous aurais peut-être demandé... Mais non, n'y pensons pas.

— Dites toujours, fit Cécile. Si, mon ami, dites.

— Oh! rien, Athéna, une aumône.

Il parlait précieusement, en s'efforçant de prononcer le *th* de façon zézayante, comme font les Grecs.

— Vous n'avez même pas remarqué cette jeune fille, mon élève à la Sorbonne, Simone Vèze.

— Mais, mais, je la connais. Il me semble que je la connais.

— Vous pourriez savoir qu'elle n'est pas ignorante en musique. Elle a même un talent charmant. Que la première pianiste du siècle donne quelques conseils... oh! je ne dis pas des leçons, c'est beaucoup trop... Mais quelques conseils...

Cécile venait de se mettre à rire.

— Pourquoi riez-vous? fit Richard, l'air sévère
et vexé. Je vous demande une chose toute simple.
N'allez pas vous mettre en colère.

Cécile haussa franchement les épaules et saisit
la rampe de l'escalier.

— Il n'est pas question de colère, disait-elle en
secouant la tête. Avec vous, Richard, je ne me
mettrai jamais en colère. Ou plutôt si! Ecoutez-
moi bien, Richard : je ne me mettrai en colère,
devant vous, qu'une fois. Une seule fois!

— Ce qui signifie? demanda Richard, l'air
attentif et ironique.

— Cela signifie qu'il y a certaines choses —
deux ou trois choses, pas davantage — que je ne
veux pas que vous fassiez. Vous êtes le plus libre
des libres esprits, Richard; mais il y a deux ou
trois choses au monde que vous ne devez pas faire
et que vous ne ferez pas.

— Par exemple?

— Vous le verrez bien, le moment venu, s'il
doit jamais venir.

Cécile descendit l'escalier sans se retourner. Elle
entendit au bout d'un moment se refermer la porte
du fumoir. Elle traversa le salon, pénétra dans la
salle de musique, jeta tout autour d'elle un coup
d'œil calme et scrutateur, revint sur ses pas, retra-
versa le salon, gagna la salle à manger, regarda le
vase de faïence ancienne qui décorait la desserte,
le prit d'une main légère et le lança dans l'angle
du plancher où il se brisa en mille fragments.

Après quoi, Cécile fit deux ou trois grandes ins-
pirations. Qui l'eût aperçue en cette minute aurait

été surpris de voir battre les ailes de son nez à coups précipités, cependant que le blanc des yeux rougissait de manière intolérable.

Enfin Cécile toussa comme quelqu'un qui va perdre le souffle, puis elle regagna l'escalier qu'elle gravit en courant. Elle franchit sans ralentir son allure le palier du premier étage, monta jusqu'au second, pénétra, courant toujours, dans la nourricerie, saisit à plein bras le petit garçon qui jouait sur le tapis et se mit à lui mordiller les cheveux en murmurant toutes sortes de syllabes confuses : « Biouche! Biou-chou! Biounette! A moi seule. Ma... Ma... Dis tout bas, tout bas : Ma... Ma.., ma minouche... Ma-ti, sandi, dino, noti, notout, mon amour, mon âme. Pince-moi le nez. Tords-moi l'oreille. Arrache mes cheveux. Arrache une grosse poignée de cheveux. Bon. Bon. Bibab... Boubab... Brrrrr... Brrrrrou... Brrraou... Tilili-pom-pom. Fini. C'est fini. Mama est guérie. »

CHAPITRE VII

Avec une patience hargneuse, toujours décon-
certée mais toujours en éveil et toujours renais-
sante, Richard Fauvet cherchait, depuis plus de
dix ans, son chemin dans le luxuriant chaos des
connaissances humaines. Il avait passé, de bonne
heure, et de manière fort brillante, une licence
de philosophie. Puis, soudainement touché de
quelque lueur secrète, il avait commencé les études
médicales et pris en même temps des inscriptions
à la Faculté des sciences. Pourvu d'une licence
ès sciences naturelles, il s'était, après plusieurs
années d'effort, détaché de la médecine pour se
consacrer aux recherches de laboratoire. Sur les
conseils d'Olivier Chalgrin, il avait fait ensuite
approuver par la Sorbonne une grosse thèse de
doctorat. A peine donnée à la biologie cette magis-
trale preuve d'intérêt, il avait longuement intrigué
pour obtenir, au laboratoire de psychologie expé-
rimentale, une place de création récente et nota·

blement rémunérée. La place conquise, non sans
peine, il venait soudain de faire un début dans les
lettres en publiant de brefs essais et en fondant le
Groupe de Monceau, puis *Les Cahiers du Nouveau
Portique.* Bien qu'il dédaignât de fournir à qui que
ce fût, même à ses familiers, la moindre clarté sur
ses desseins et ses cheminements, il professait
volontiers une doctrine dite de « l'investigation
inconditionnée » qui pouvait justifier toutes les
sautes d'humeur, tous les caprices, éventuelle-
ment même tous les abandons, tous les échecs.

Il était de ces esprits glacés qui, pour s'animer
et fournir quelque étincelle, ont besoin de la fric-
tion, plus souvent même du choc excitant des
autres esprits. En échange de ce bienfait, il leur
marquait d'ailleurs moins de gratitude que de
souriant mépris. Suscité, mis en branle, il se prenait à briller. La conversation lui versait une
ivresse dont il tirait de beaux effets, ce qui ne l'em-
pêchait pas de vanter à chaque instant les avan-
tages de la solitude et les faveurs d'une retraite
dont il avait secrètement l'horreur. Il ne pensait
qu'en parlant et il possédait, de cette gymnastique
aventureuse, une si mûre expérience qu'il se lan-
çait dans maintes phrases avec l'espoir, jamais
déçu, que l'enchaînement des mots finirait par
lui procurer tous les bénéfices du raisonnement et,
pour peu que le hasard y mît de complaisance, lui
permettrait quelque trouvaille dont il n'était pas
prouvé, préalablement, qu'elle ne serait pas gé-
niale.

Il souffrait, sans en rien dire, de sa grande ari-
dité. Il avait eu longtemps l'espoir, à nul être

humain confessé, que la présence, l'influence, peut-être même l'amour de Cécile, artiste douée à miracle, le féconderait, le transformerait, mieux encore, le dénouerait, ferait jaillir quelque fontaine de ce terrain rocailleux. Il avait, pendant des mois, pendant des années, poursuivi la plus savante et la plus insinuante des cours. Le succès brusque, inopiné, presque déroutant pour lui, de ce long investissement l'avait jeté, les premiers mois, dans de violents transports d'orgueil. Bientôt recru d'un effort si périlleux, vite assuré que rien, pas même la chance d'une telle union, ne pourrait modifier la structure intime de son âme, il avait retrouvé ses palabres, ses exercices « d'investigation incondi- tionnée », ses recherches zigzagantes, et ce qu'il appelait aussi, dans le jargon moncélien, les gammes et les arpèges de l'intellectualité pure.

Richard possédait un arsenal, renouvelé avec parcimonie, au fil de l'actualité, d'idées, de sen- tences et de vocables. Le jeu favori, pour les phi- losophes du Parc, était non point de mettre axiomes et doctrines à l'épreuve des événements, de vivifier les dogmes par l'observation et l'expé- rience, mais, au contraire, d'inscrire à toute force les matériaux de la vie dans les gabarits d'une idéologie vétilleuse et d'écarter avec dédain ce qui ne semblait pas se prêter à cette pratique.

Des esprits naturellement généreux et humains, tel Emmanuel des Combes, avaient été, dès les premières conjonctures, séduits, éblouis, soumis par les tours et les prestiges du sec et cynique rhéteur. Richard rassemblait des disciples qu'il appelait ses amis, car il faisait, de la terminologie affective, un usage ostentatoire, parfois mêlé de raillerie. Le chef du *Nouveau Portique* vivait au milieu d'une cour, docile à son appel et soumise à sa parole. Il aimait la société des jeunes femmes qu'il traitait avec une insolence caressante et qu'il enveloppait, pendant les exercices dialectiques, de gestes délicatement peloteurs.

Bien que Cécile ne se mêlât jamais des délibérations du *Portique*, il arrivait qu'elle en perçût les échos ou qu'elle eût soudain, même pendant quelque entretien intime, à se prémunir contre la phraséologie moncélienne. Elle se défendait avec une âpre ardeur.

— Cécile, soupirait Richard, vous n'avez pas de défauts. C'est très intimidant pour les autres. Avouez même que c'est un manque. Vous souffrez d'un défaut de défauts et vous nous faites souffrir un peu, nécessairement, nous les faibles.

Et, comme la jeune femme faisait paraître un sourire polaire :

— Non, vous n'avez pas de défauts, reprenait Fauvet, et ce n'est guère charitable. J'ai des défauts, moi, Athéna, mais c'est par pitié pour les autres.

— Vous me désobligez beaucoup avec ce surnom d'Athéna.

— Vrai, comme vous êtes difficile! Je n'en connais pas de plus beau. Vous n'êtes jamais allée à l'Institut de France? Non, sans doute, grâce au ciel! Qu'iriez-vous faire dans cette galère? Eh bien! au pied de l'escalier, il y a une Minerve qui vous ressemble.

— Etes-vous sûr, dit un jour, soudainement,

Cécile, au cours d'un entretien tel, êtes-vous sûr de n'être pas un homme léger?

Richard haussa les épaules et saisit au vol un des poignets de Cécile.

— Ne craignez rien, murmurait-il. Vos mains sont les trésors du monde, je ne les abîmerai pas. Léger? Non, sincèrement, je ne crois pas. Mais malade, oui, Cécile, assurément.

Richard souffrait de suffocations que certains médecins attribuaient à l'asthme, d'autres à l'emphysème, et qu'il expliquait volontiers, pour ses amis et ses élèves, en les imputant à ce qu'il appelait des phénomènes de l'ordre anaphylactique... Adroitement ressaisi d'un de ses thèmes familiers, il soupirait d'une voix fléchissante et d'accent sincère :

— Cécile, vous êtes bonne, si, si, vous le cachez bien, mais c'est indiscutable. Vous êtes bonne et vous avez pour votre misérable compagnon un sentiment que je peux dire... cordial. Vous le voyez, je n'exagère rien et pèse mes mots au plus juste. Malheureusement, vous ne croyez pas à mon mal. Vous admettez à l'occasion que je suis intelligent, que je dispose d'une honnête culture, que j'entends même quelque chose à la musique, à votre musique; mais vous ne semblez pas comprendre que je suis un homme malade. Cécile, chérie, j'ai la certitude interne que je vous donnerai quelque jour une démonstration péremptoire et terminale de cette maladie dont vous finirez bien, ce jour-là, par reconnaître l'existence.

— Vous voudriez m'inquiéter, disait Cécile en

souriant, que vous ne vous y prendriez pas autrement.

— Vous riez! Vous avez ri! s'écriait le jeune homme. Vous ne pouvez pas dire le contraire : vous avez ri. C'est douloureux pour moi. Vous exprimez la souffrance, par votre jeu d'artiste, mieux que personne au monde, et j'ai parfois le sentiment que vous l'exprimez comme pourraient le faire les dieux, qui ne l'ont jamais ressentie.

— Qu'en savez-vous?

— J'en suis presque sûr. Moi, poursuivait-il en baissant la voix et l'accent pénétré, je souffre plus et mieux que personne. C'est un privilège amer, je vous prie de le croire. Que je pense avec force à un point quelconque de mon corps et il devient tout de suite douloureux. C'est absurde et c'est ainsi.

Et, comme Cécile, adoucie, lui passait un doigt léger dans les cheveux, il s'attendrissait tout à fait :

— Cécile, murmurait-il. N'êtes-vous pas mon bon ange? Vous avez épousé un infirme qui ne peut se passer de vous.

— Soignez-vous sérieusement, disait encore Cécile.

Richard levait les bras au ciel :

— Mais non, mais non, gémissait-il. Je suis à moitié médecin. Si je n'ai pas continué, c'est que je n'avais pas confiance. La thérapeutique est la cause de presque toutes nos misères. Tenez, autrefois, quand j'avais mes crises, je toussais d'abord, longuement. Maintenant, je ne tousse plus. C'est à n'y rien comprendre.

— C'est probablement bon signe.

— Non, non, c'est très inquiétant. On ne comprend pas ce que cela veut dire. Ne souriez pas, Athéna. Je ne saurais vous expliquer à quel point cela me vexe de vous voir sourire de mes misères.

Il recomposait ses traits pour un rictus ironique. Il avait un beau visage, régulier, au teint mat, coupé d'une fine moustache. Deux pattes légères, frisottantes, descendaient des tempes jusqu'à mi-chemin des joues. Quand il parlait, la pointe du nez remuait, accompagnant les mouvements de la lèvre supérieure.

Cécile retournait à sa musique et Richard à son travail, c'est-à-dire à la solitude qu'il ne supportait pas sans peine. Il avait toujours mille petites choses à faire qui le divertissaient longtemps du recueillement laborieux. Il numérotait tous les actes qu'il entendait accomplir afin de n'en oublier aucun. La superstition de l'ordre le torturait sans relâche. Allait-il se mettre au travail? Il délibérait d'abord s'il valait mieux se débarrasser de certaine lettre urgente, ou se lancer franchement dans son rapport, ou procéder, premièrement, à une lecture annotée. A ce point du débat intérieur, il se rappelait qu'il était plus sage d'aller se laver les mains. Il se préparait à le faire, quand son regard tombait sur le dictionnaire grand ouvert depuis le matin au milieu de la table. Ranger le dictionnaire, d'abord! Il s'y employait en soupirant. A peine le dictionnaire en place, le jeune homme apercevait ce petit bouquet de fleurs que l'on plaçait là, chaque jour, sur le bord de la tablette. Le bouquet était agréable; mais l'eau n'en avait point été chan-

gée depuis la veille. Elle exhalait une légère odeur
de fermentation végétale. Il irait changer l'eau
lui-même, puisque la chose était à faire. Le bruit
du robinet lui rappelait qu'il avait soif. Il posait
le vase à fleurs pour aller quérir un verre, et,
comme il avait la coutume d'essuyer toujours le
verre avant d'y porter les lèvres, il retournait dans
sa chambre pour y prendre une serviette. En la
cherchant, il pensait non sans amertume qu'il est
absolument impossible de travailler quand on veut
faire tout ce qui doit être fait.

Cependant, avec lenteur, la journée s'enfonçait
dans le néant.

CHAPITRE VIII

Cécile et son frère Laurent sont assis, côte à côte,
sur une dure banquette, dans la salle de musique.
De l'autre côté de l'estrade, les élèves de Cécile forment un groupe attentif et intimidé. Au milieu de
l'estrade, une jeune fille est immobile devant le
piano. Elle est de petite stature, avec des mains
aux doigts brefs et robustes. Tout son visage
exprime la ferveur. Son cœur doit battre ardem-
ment sous le corsage à guimpe de dentelle. Ses
pieds chaussés de souliers plats pèsent déjà sur les
pédales. Cécile fait un signe du doigt, et la jeune
fille commence à jouer.

Ses traits, déjà contractés, ont changé presque
tout de suite. Ils sont soudain décomposés par
l'effort et par on ne sait quel désir secret. Ce n'est
point une débutante : elle a, pendant des années,
tourmenté son instrument. Ceux qui l'entendraient pour la première fois lui trouveraient bien

du mérite. Et Cécile, pourtant, la contemple avec
pitié, peut-être même avec douleur. La bouche de
la jeune fille se durcit et se tord petit à petit : ses
joues se creusent. Entre ses dents serrées filtre une
respiration haletante. On sent qu'elle est angoissée,
qu'elle va buter contre un obstacle inévitable,
qu'elle ne peut pas ne point buter. Alors Cécile se
lève et vient se placer, debout, derrière la jeune
fille; l'haleine de Cécile fait palpiter un ruban que
la jeune fille porte noué dans ses cheveux. Cécile
dit, tout bas, tout bas, des paroles de magicienne.
Elle dit : « Respirez, Marie, respirez profondément. Oui, plusieurs fois de suite. Pour me faire
plaisir, Marie... Détendez-vous, pour l'amour de
moi, pour ne pas me fâcher, Marie. »

Marie de Farras cède, fléchit, succombe sous la
prière mystérieuse. Puisque Cécile est là, derrière
elle, Marie de Ferras va peut-être se tirer du long
trait de la troisième page... Mais elle souffre, elle
souffre. Elle voudrait pousser un cri, laisser sourdre un gémissement. Est-il possible qu'elle n'ait
pas le don, elle qui a tant d'amour ? Est-il possible
qu'entre son âme et sa chair il existe cet affreux
divorce ? Est-il possible qu'elle comprenne si bien
tous les conseils de la jeune Madame et qu'elle soit
dans l'impossibilité d'exprimer avec ses doigts ce
qu'elle sent si parfaitement bien avec son cœur ?

A force de contention, Marie de Ferras est devenue presque laide. Elle le sait, elle le sent et c'est
probablement pourquoi, deux fois de suite, elle
vient de commettre des fautes contre lesquelles,
depuis plusieurs jours, elle avait pris des précautions si douloureuses. Mais, ça ne fait rien, ça ne

fait rien. Avec de la volonté, Marie deviendra quand
même une artiste, une grande artiste. Avec de la
volonté, tout est possible... Oh! mon Dieu! voici
la troisième faute... Il est trop tard. Elle est faite.
Et pourtant, pendant des heures, Marie avait préparé cette page. Tant pis! On recommencera.

C'est fini. Voici le point d'orgue et la double
barre. Les dernières vibrations s'élancent, gagnent
le large. Marie de Ferras est toute rouge, trem-
blante devant le piano. Elle tourne vers Cécile un
regard chargé d'anxiété. Cécile, de sa main
fraîche, touche les joues brûlantes de la pauvre
Marie et elle prononce, avec douceur, des paroles
qui veulent être réconfortantes, encourageantes,
des paroles de compassion que Marie de Ferras
accepte avec une gratitude assoiffée, mais dont elle
n'est pas dupe.

Maintenant, c'est le tour de Gertrude Schmutz.
Elle est tout de suite assise et déjà ses doigts commencent à galoper sur les touches. Cécile ne peut
s'empêcher de rire :

— Mais non, mais non, Gertrude. Avant de produire un son, avant même de préluder, faites le
silence autour de vous, faites le silence en vous,
purifiez le monde entier par un grand et calme
silence. Gertrude, je vous l'ai dit cent fois, la musique est l'art du silence. Ne craignez pas d'abuser
de notre attention. Nous qui vous écoutons, nous
avons besoin de silence, nous autres, autant que
vous-même. Et maintenant, partez, Gertrude.

Gertrude Schmutz est une grande fille au corsage
plat, aux bras longs. Elle montre un joli visage
dont tous les traits tantôt trahissent et tantôt affec-

tent la sensibilité. Sa lèvre supérieure est sans cesse
en mouvement, couvrant et découvrant une belle
denture, blanche et large. Elle joue une polonaise
de Chopin. Et, tout de suite, elle commence de se
tordre et de chantonner. Elle joue bien, aisément,
avec un talent déjà mûr. Mais il semble qu'elle
appelle à la rescousse toutes les fibres de son être.
Elle se penche, elle se redresse. Elle laisse filer de
longs soupirs. Elle fait, avec les doigts, une gymnastique intempérante qui prolonge la fin des
sonorités par un dessin dans l'espace. Ce n'est pas
à la nature qu'elle doit livrer combat : ses muscles
obéissent aisément. Mais on sent bien qu'elle rêve
à des émotions violentes. Elle voudrait les commu-
niquer et, tout d'abord, être sûre de les ressentir
elle-même.

Et voilà que Cécile est terrible, sans toutefois
cesser de sourire. Elle est demeurée debout à côté
de son élève. Elle l'interpelle à voix basse pendant
que le bruit va son train. Elle dit : « Vous vous
gargarisez. Vous ne m'écoutez pas. Vous ne vous
écoutez même pas, vous tâchez de vous étourdir,
de vous assourdir. Vous ne pensez qu'aux temps
forts, si bien que ce n'est plus le rythme, c'est le
squelette du rythme... Il faut d'abord penser à ce
que l'on joue, je suis bien de cet avis, seulement
vous y pensez d'une façon sentimentale. Vous
devriez y penser d'une façon musicale. Si vous ne
comprenez pas ce que je veux dire, ma petite Gertrude, c'est que vous n'êtes pas musicienne. Je ne
peux vous l'expliquer mieux... »

Gertrude Schmutz alors s'arrête. Elle a l'air
étonnée, mais non inquiète. Elle sourit, de ses

dents blanches. Et elle n'attend qu'un signe pour repartir. Elle repart même avant le signe. Et elle incline le buste en avant et puis elle se redresse en exprimant l'effort. Elle se penche à droite, à gauche. Elle lève en l'air des mains crispées qu'elle va laisser fondre soudain, tels des oiseaux prédateurs. Elle se reprend à chanter. A certains moments même, elle fait avec sa gorge autant de bruit qu'avec ses mains. Elle piaffe. Elle met sa chaise en mouvement. Et Cécile finit par rire, gaiement, à gorge déployée. Tout le monde rit, en définitive, et c'est toujours ainsi avec Gertrude Schmutz.

— Non, non, dit encore Cécile. Vous me prendrez la *Partita*. Bach seul pourra vous guérir. Je vais vous charger de chaînes. Attendez quand même un instant.

Cécile s'est assise au piano. Elle pose un doigt, deux doigts sur le clavier. Quelques notes! Ces notes, elles devraient être usées, flétries depuis que les hommes chantent, depuis qu'ils frappent sur des cordes ou soufflent dans des tubes sonores. Mais non, elles sont toujours neuves comme au premier jour de la création. Ce ne sont pas les sons de tout le monde, c'est l'âme de Cécile, c'est la vie et la substance de Cécile.

Cécile joue la première page de la fameuse polonaise. Et, tout en jouant, elle parle comme pour elle-même. Elle dit :

— Il y a des jours bénis, des jours tels que, si nous heurtons un cristal, il rend un son qui s'accorde juste à notre chant intérieur. Ah! Gertrude, vous aimez la musique, sans doute, mais vous ne la respectez pas. Attendez! Attendez! Gertrude.

Cécile joue encore quelques mesures et tout le monde se tait.

Ce que nous entendons jouer est presque toujours moins beau que ce que nous aimons en rêve. Ce que nous entendons jouer, même par de grands artistes, nous laisse bien souvent une secrète et amère déception, car nous vivons, dans nos rêves, avec la musique des sphères. Mais quand Cécile joue, c'est aussi beau que dans nos rêves et, tout à coup, c'est plus beau.

Cécile s'arrête, secoue la tête, et fait signe à Maxime Giard. C'est un garçon de quinze ans. On dirait qu'il attend la fin de la leçon pour se mettre à jouer aux billes. Il sourit d'un air boudeur et son visage enfantin est rose, avec des joues rondes. Il noue, sous son menton creusé d'une fossette, une lavallière bleue marine à pois blancs. Il s'assied devant le piano d'une manière un peu lourde et presque indifférente. Il attend le signal et part au juste moment. Il joue une sonate de Mozart. Cécile s'est assise près de lui, de manière à pouvoir le regarder presque en face. Elle fait, de temps en temps, un signe imperceptible de la bouche ou du sourcil. Parfois, elle lève un doigt. Parle-t-elle, c'est pour dire des choses très mystérieuses. « Plus lointain. Encore plus lointain… Oui, oui! un peu moins frais. Ecoutez, Maxime, plus d'ombre, avant les doubles-croches… » Et, tout naturellement, l'enfant traduit avec ses doigts ces recommandations étranges. L'ombre, le lointain, la fraîcheur, tout devient compréhensible et sensible. Entre Cécile et le garçon, un langage secret se noue, comme entre deux êtres de la même race, élevés

dans le même climat. Cécile sait bien que le jeune
garçon, malgré son gros nez, ses joues un peu
lourdes, son buste un peu trop long, son front sans
beauté, a reçu la grâce parfaite. Pour lui, tout est
simple, même la douleur. Pour lui, tout est acces-
sible, même ce qu'on nomme en musique les profondeurs de la pensée, car l'abîme de Mozart n'est
pas celui d'Aristote. Cécile grondera peut-être, par
un honnête sentiment de la justice distributive.
Elle dira, l'air mécontent : « Maxime, vous ne tra-
vaillez pas assez... » Bah ! Cécile sait, depuis le premier jour, depuis la première entrevue, que l'enfant à la grosse tête ronde a reçu tous les dons,
même celui du travail, sans lequel tous autres ne
sont que vapeurs et fumées.

Cécile est retournée s'asseoir auprès de son frère.
Elle regarde le petit groupe des élèves et dit, d'une
voix égale :

— Au tour de Mlle Vèze... Ce qu'il faut jouer,
mademoiselle ? Mais, ce que vous avez préparé,
tout simplement.

Simone Vèze est une fille maigre que l'on pourrait, malgré son nom, prendre pour une Israélite.
Elle a des yeux admirables qui sont brumeux,
sombres, mouillés et qui chavirent aisément sous
l'effort des émotions. Ses mains sont tout de suite
moites et elle les essuie sans cesse avec un petit
mouchoir qu'elle pose au bout du clavier. Comme
Cécile semble attendre, Mlle Vèze commence de
jouer, sans maladresse et de manière un peu sco-
laire, une rhapsodie de Liszt.

D'un pas insensible, Cécile est venue se placer
au bout du piano. L'assistance, petit à petit, sent

que la jeune fille lutte contre un malaise insurmontable. Et pourtant Cécile ne dit pas un mot, n'exprime pas, même d'un frémissement de la paupière, une critique, un jugement.

Simone Vèze fait une faute, puis deux, puis trois. Des gouttes de sueur se forment sur ses tempes et sur les ailes de son nez. Elle détache parfois du clavier un regard plein d'angoisse qui tourne autour de Cécile et retombe sur le clavier. Et voilà que Mlle Vèze joue de façon déplorable et qu'elle trébuche à chaque note et que, soudain, cachant son visage entre ses mains, elle se met à sangloter, ce qui la défigure et la rend presque hideuse.

Cécile n'a pas même bougé. Cécile n'a pas fait un geste. Elle prononce, d'une voix très calme :

— Vous comprenez, mademoiselle, que je ne peux rien dire. Il faudra recommencer, mademoiselle. Un jour où vous serez un peu plus maîtresse de vous.

Simone Vèze cherche à tâtons son mouchoir et s'éloigne en trébuchant. Cécile est toujours très droite, immobile, au bout du piano dont le bois luisant reflète son visage.

Un peu plus tard, la salle de musique désertée par les élèves, Laurent commence de marcher, doucement, les mains aux poches. Il dit :

— Quand j'étais petit, la musique me faisait voir des choses... Je te l'ai dit souvent et tu te moquais de moi. Je dois être en progrès, sœur. La musique, pour moi, ne se traduit plus en images. Mais elle me caresse l'âme, ou me blesse, ou me ronge. Elle me soulage et me rend heureux, ou bien, c'est fort différent, elle aggrave toutes mes tristesses, elle enflamme et envenime tout ce que j'ai dans le cœur. Tu ne dis rien?

— Non, répond Cécile, non, je ne dis rien.

Comme son frère la regarde avec insistance, elle poursuit :

— Tu sais bien que, moi, je ne suis pas senti- mentale. Tu sais que, de toute la famille, je n'ai jamais embrassé que maman, et encore dans les grandes occasions. Je déteste les gens à histoires, les trembleurs, les larmoyeurs. Je déteste aussi les autres, comment dire? les gens à idées.

Cécile erre sur l'estrade, ferme les claviers, range les partitions d'un air las. Elle murmure, sans regarder Laurent :

— Quand nous étions petits, nous pensions, toi et moi, que la musique pourrait suffire à tout, nous donner tout, nous tenir lieu de tout. Oui... Ecoute, Laurent. Je n'ai vécu que de Bach et de Mozart, de Hændel et de Couperin. Mais je suis, depuis deux jours, harcelée d'un misérable air de la rue, un air ignoble qui me dégoûte et me répugne. Voilà, c'est que je ne suis pas pure. On n'a que ce que l'on mérite.

CHAPITRE IX

Comme la nuit de janvier était humide et parcourue de bourrasques, Laurent releva d'abord le col de son pardessus, puis il vint s'abriter dans l'encoignure d'une porte. Il apercevait, de l'autre côté de la rue, baignée à la base dans la lueur d'un lampadaire, la maison qu'il venait de quitter. Laurent savait que Cécile allait sortir et que l'attente ne pouvait être longue. Une seconde, une furtive seconde, il pensa que ce qu'il faisait là n'était sans doute pas d'une discrétion exemplaire; puis il haussa les épaules et se remit au guet en battant la semelle à la façon des écoliers.

Quelques minutes plus tard, Laurent vit la porte s'ouvrir, et Cécile parut dans la clarté du trottoir. Elle avait un long manteau noir que Laurent connaissait bien. Un chapeau large de bords et une grosse voilette dissimulaient ses traits.

Elle se mit tout de suite en route de ce pas rapide, ailé, qu'au temps de leurs jeunes ans Laurent disait comparable à la démarche de Niké, à la

73

danse de la victoire. Elle tenait les plis de sa jupe rassemblés dans la main gauche. La main droite était glissée dans un très petit manchon. Elle était non pas très grande, mais élégante et mince. Le moindre de ses mouvements respirait la décision, l'élan, une volonté sans faille.

Cécile remontait la rue de Prony en tournant le dos au Parc. Elle ne marchait pas comme une personne qui cherche sa direction, mais avec une parfaite certitude.

Laurent la suivait de loin, attentif à ne pas la quitter de l'œil et soucieux de ne point se laisser voir; mais Cécile marchait vite et ne se retournait point.

Elle vira presque tout de suite dans une petite voie silencieuse, puis elle traversa un large boulevard parcouru des vents, enfin Laurent la vit s'engager dans une rue qui devait être la rue Brémontier. A ce moment, Laurent tourna la tête pour éviter une voiture. Et comme, le péril passé, le jeune homme, de nouveau, regardait droit devant lui, il sentit que Cécile avait disparu.

Laurent fit encore quelques pas en reniflant d'un air pensif. Il se trouvait maintenant devant l'église Saint-François-de-Sales. Elle est petite, sans beauté. On dirait d'une église de bourgade introduite là, par force, entre les hautes murailles aveugles des bâtisses parisiennes.

Une minute, Laurent demeura sur place à méditer un parti. Puis il entra dans l'église.

Elle était, à cette heure, fort sombre et silencieuse. Des bouquets de flammes fragiles tremblotaient au fond, dans le chœur. Quelques pauvres gens se chauffaient sur les bouches de chaleur dont l'haleine sent la pierre chaude, la poussière et le renfermé. Un instant, Laurent chercha, d'un œil ébloui par l'ombre. Puis il aperçut Cécile.

Elle se tenait debout, dans la nef, tout près de l'allée centrale. Elle avait posé son manchon sur une chaise et demeurait droite, les bras pendants, les mains ouvertes. Elle regardait vers le chœur dont les murailles sont ornées de peintures évanescentes, naïvement azurées.

Sur la pointe des pieds, Laurent regagna la porte, puis il sortit de l'église et s'éloigna dans la rue, poursuivi de mille pensées.

Maintenant, Cécile est seule ou presque seule, debout parmi les chaises. Elle regarde les lumières de l'autel d'un œil qui ne cligne point. Elle qui, tout le jour, chantonne, comme aux jours de son enfance, quelque interminable chanson qu'elle invente note à note et parfois syllabe à syllabe, elle ne chantonne plus. Les anges qui volent dans l'ombre, s'ils veulent bien prêter l'oreille, ils entendront les pensées que Cécile forme laborieusement dans le secret de son âme.

Et voilà ce que dit Cécile :

« Seigneur, prenez-moi comme je suis. Si vous ne pouvez vous débrouiller avec ce cœur misérable, qui le pourra? Qui le voudra? Alors, Seigneur, acceptez-moi telle que je suis et ensuite, à nous deux, nous tâcherons d'arranger tout.

« Seigneur, je ne suis pas malheureuse. Je ne suis pas encore malheureuse, permettez-moi de vous le faire observer, car ce n'est pas sans impor-

tance. Il me semble seulement que je fais mauvais
usage de ce que vous m'avez donné. Alors,
acceptez-moi tout de suite, avec mon petit, s'il
vous plaît, puisqu'il fait partie de moi.

« Seigneur, je suis pleine d'orgueil et encore
d'une autre chose que je ne veux même pas
nommer. Si vous ne m'aidez pas, je vais peut-être
devenir méchante. Alors, aidez-moi. Je ne vous
promets pas de me guérir tout de suite; mais cela
viendra certainement : je ferai de grands efforts.
Ah! ne tardez pas trop : je suis terriblement libre.

« Seigneur, je ne me suis pas mariée chez vous
pour diverses raisons que je vous expliquerai plus
tard. N'y pensons pas en ce moment.

« Seigneur, je supporterai tout ce que vous me
demanderez, sauf certaines choses que vous ne me
demanderez pas parce que ce serait injuste et que
vous n'êtes pas injuste.

« Seigneur, je serai modeste dans ma vie et dans
l'art où vous m'avez comblée. Mais il y a des
choses sur lesquelles il m'est impossible de céder,
des choses dont je ne peux supporter l'humiliation. Seigneur, ayez la bonté de ne pas me demander cette humiliation-là. »

Un grand silence tombe sur Cécile. Les anges de
l'ombre peuvent prêter l'oreille, ils n'entendront
plus rien. La jeune femme regarde toujours droit
devant elle. Ses longs cils noirs ne bougent pas.
Elle attend, immobile. Et le silence est profond.
Alors, voilà que l'étrange prière recommence :

« Seigneur, nul ne m'a montré le chemin de
votre maison. Nul ne m'a tirée, nul ne m'a
poussée. Je viens seule, toute seule, avec le petit

enfant contre mon cœur. Seule avec lui. Si vous ne voulez pas de moi, Seigneur, vous avez bien le moyen de me le faire comprendre. »

De nouveau, le silence. La jeune femme est toujours debout, toujours bien droite, et ses yeux grands ouverts reflètent les flammes chancelantes de l'autel. Alors, une fois encore, la voix sans haleine s'élève du fond de l'âme.

« Oh! je reviendrai! Je reviendrai! Vous finirez bien par répondre. Seigneur! je suis entêtée, je suis affreusement entêtée! »

Pendant un long moment encore, Cécile reste immobile, interrogeant l'ombre. Puis elle s'en va, sans tourner la tête, elle s'en va de ce pas qui semble à tout instant sur le point de quitter la terre.

CHAPITRE X

— Nous sommes en avance, dit Justin. Rien à faire avant quatre heures. Chérouvier est l'homme le plus exact du monde. Jamais une lettre sans réponse. Jamais un rendez-vous au petit bonheur. Il a l'air d'un bohème, je préfère te le dire tout de suite. D'ailleurs, tu connais les photos et surtout le fameux buste qu'a sculpté Rodin. Mais cette figure de grand anthropopithèque velu ne révèle rien de l'être intérieur qui est net, strict, d'une simplicité parfaite. A quoi travailles-tu, Laurent?

— Je ne travaille pas. Ou plutôt, si : je travaille à ne rien faire.

— Depuis quand?

— Depuis trois jours.

— C'est long.

— C'est terriblement long. Oh! je compte pour rien la surveillance de mon service. Le personnel est dressé : cela marche tout seul. Je ne compte

78

pas non plus les piqûres aux cochons d'Inde ou l'examen de quelques préparations, la coloration de quelques microbes, enfin des blagues. Je n'ai rien fait depuis trois jours. J'attends.

— Et ton patron?

— M. Blot? Oui, eh bien?

— Qu'est-ce qu'il dit de cela?

— Tu es un enfant. D'abord, il n'en sait rien. Quand je ne travaille pas, cela ne se voit pas. Je te répète que j'expédie de petites besognes, je remue, je change les objets de place. Mais l'esprit ne bouge pas, il attend. M. Blot, s'il en devinait quelque chose, ne dirait rien parce qu'il sait à quoi s'en tenir. Lui, quand il est saisi d'inertie, ça dure six mois, parfois plus. Alors, il prend des mesures de conductivité électrique, ou il compte interminablement des gouttes de réactif, à la pipette, ou il fait des graphiques à n'en plus finir. Mais moi qui le connais un peu, je souffre avec lui. Je compatis.

— Oh! je sais, je comprends, soupira Justin. Pour un écrivain, c'est aussi pénible.

Laurent enlevait sa blouse et la rangeait dans l'armoire avec des gestes de somnambule.

— Voilà, dit-il, ce que nous ne pourrons jamais, ce que nous n'oserons jamais faire entendre aux autres, aux travailleurs manuels. A leurs yeux, nous aurions l'air de paresseux. Un savant, un vrai savant, pour les pauvres gens de l'usine, de la terre ou de l'atelier, c'est un monsieur qui passe une grande part de sa vie à consulter des appareils, à regarder dans le microscope, à disséquer des animaux, à exécuter toutes sortes d'opérations déli-

cates et compliquées. Un savant légendaire, pour
l'ouvrier, pour l'employé, c'est un personnage
qui fait des découvertes considérables, patiem-
ment, depuis le matin jusqu'au soir et parfois
même du soir jusqu'au matin. Comment nous y
prendre pour expliquer à ces braves gens, si con-
fiants et si naïfs, à ces braves gens qui travaillent
si durement, eux, huit, dix ou douze heures par
jour, que la découverte, à proprement parler, c'est
une minute, une seconde, même pas, le temps d'un
éclair, et qu'un savant n'est pas ébloui par cet
éclair toutes les semaines, mais trois ou quatre fois
dans sa vie, et que, le reste du temps, il travaille,
assurément, et de manière assidue, et en appli-
quant toutes ses facultés, et que, pourtant, il lui
faut attendre la visitation, il lui faut attendre que
le vent de l'esprit se lève et qu'il est impossible
de déterminer cette brise quand elle ne veut pas
souffler. Nous n'oserons jamais expliquer aux travailleurs manuels que perdre du temps, cela fait
partie de notre tâche, à nous autres, et que c'est
une occupation très nécessaire et très pénible. Et
le plus regrettable, c'est qu'il est impossible, à
première vue, de distinguer celui qui perd son
temps d'une manière féconde et profitable de
l'autre, du simple fainéant, de celui qui perd son
temps sans espoir et sans honneur. Et maintenant,
allons-nous-en. Jusqu'à la place de la Contrescarpe,
il faut bien une demi-heure, même en marchant
d'un bon pas.

— Oh! chuchotait Justin Weill en trottant
auprès de Laurent, nous avons tous nos misères.
Depuis deux jours et sans savoir pourquoi, je dis,

toutes les dix secondes, à l'intérieur de moi-même : Po-po-ca-te-petl... Po-po-ca-te-petl! Cela s'arrête un instant et, toc, ça recommence. Le Popocatepetl est une montagne du Mexique. Je me moque du Popocatepetl comme d'une guigne, comme d'une mouche. Mais, de temps en temps, un mot sans rapport avec mes pensées, celui-là ou un autre, s'introduit dans la mécanique et il m'obsède pendant deux ou trois jours. Et soudain, il s'en va, c'est fini, je suis guéri. Note que tout cela ne m'empêche pas de penser à des choses sérieuses et même à des choses terribles. As-tu lu l'article de ton beau-frère dans les *Cahiers du Nouveau Portique*, l'article sur Chérouvier?

— Tu m'obligerais beaucoup en appelant Richard Fauvet autrement que mon beau-frère.

— Est-il, oui ou non, ton beau-frère?

— Tu sais bien, Justin, que s'il est devenu mon beau-frère, c'est contre mes conseils, contre mon goût, contre ma volonté. Tu sais même que je prends grand soin de ne plus jamais te parler ni de Cécile, ni de Fauvet.

— Ça n'a plus grande importance. Je suis très bien cicatrisé. Je ne me marierai jamais, du moins il y a peu de chances. Cécile n'a pas voulu de moi, c'est compréhensible. Si, contre toute prévision, je finis par prendre femme, ce sera sans aucun doute une fille de ma race. Je me sens redevenir intégralement juif. Et puis, laissons cela de côté. Je te posais une question qui est demeurée sans réponse. As-tu lu l'article de Fauvet?

— Je l'ai lu.

— Tu n'es pas indigné?

— Je suis indigné.

— Oui, je vois, tu es indigné de manière bourgeoise et placide.

— Justin !

— Je sais ce que je dis, malheureusement. Ce n'est pas un fossé qui se creuse entre nous, Laurent, c'est un abîme. Laisse-moi résumer les faits : un peuple qui se dit civilisé fait, dans une guerre injuste, usage de balles explosives. Un philosophe, un homme au cœur admirable, Noël Chérouvier, publie un article pour stigmatiser cette barbarie et mettre en mouvement toute l'élite française. La réponse est presque immédiate : M. Richard Fauvet, intellectuel incorruptible, traite publiquement Noël Chérouvier de pipelet humanitaire, de pédagogue au cœur sensible, de bavard intempérant, etc., etc. Et toi, Laurent Pasquier, beau-frère involontaire mais résigné, tu trouves tout ça naturel. Ah ! je ne te reconnais pas !

— Tu peux dire ce que tu voudras, soupira Laurent en haussant les épaules, tu ne me feras pas sortir de mes retranchements, aujourd'hui.

Les deux amis marchèrent un long moment côte à côte sans parler.

Noël Chérouvier habitait un appartement de proportions médiocres dont les fenêtres s'ouvraient sur la petite place provinciale dite de la Contrescarpe. Le visiteur qui s'aventurait à la recherche du maître dans cette maison modeste, hantée par des employés, des retraités, de petits fonctionnaires, le visiteur devait d'abord gravir trois étages d'un escalier noir et sonore, parcouru comme un puits de mine par un furieux courant d'air. La

sonnette enfin trouvée puis mise en mouvement,
on entendait haleter une vieille servante poussive.
Une porte s'ouvrait dans l'ombre et le visiteur, dès
le premier pas, trébuchait contre des livres. Il y en
avait partout, sur les meubles, sous les meubles,
sur des rayonnages précaires qui ployaient et
demandaient merci, sur le sol, par piles et par tas,
dans l'ouverture des portes qu'on ne songeait plus
à clore, entre les bras des fauteuils, dans le giron
des canapés. Une odeur de cendre, de cuisine et de
tabac errait avec nonchalance par les gorges et les
crevasses de ce paysage confus. Et, tout à coup,
dans la lueur d'une fenêtre à festons de velours,
M. Noël Chérouvier dressait sa haute silhouette, la
main tendue.

Il était maigre et robuste, avec de grands doigts
velus qu'il allongeait sans arrêt pour prendre les
livres à poignées et pour les changer de place. Ses
cheveux étaient gris et rares, mais, sur les arcades
sourcilières à l'architecture massive, s'accrochait
une énorme et buissonneuse végétation. Deux
flammes de poil lui sortaient des oreilles comme
des moustaches. Large, longue, exubérante était
aussi la barbe, mêlée de noir et de jaune. Au
milieu de tout ce crin, fleurissait un sourire très
doux, très vivant, coloré de quelque malice. De
cette étonnante carcasse se dégageait un relent de
tabac noir, non point léger et fugitif, mais acide,
pénétrant, exhalé, semblait-il, par la substance
même des tissus imprégnés jusqu'à la fibre depuis
un demi-siècle.

Noël Chérouvier professait en Sorbonne l'histoire de la philosophie. Il avait guerroyé dans la

presse, dès le début de l'Affaire. Depuis, et bien qu'il se défendît de céder aux pressions politiques, il était sollicité de formuler son avis dans toutes sortes de querelles. On avait voulu lui offrir, à la Ligue des Droits de l'Homme, une éclatante présidence. Il avait toujours refusé. « Non, non, disait-il, je suis individualiste et, par nature, solitaire. C'est comme cavalier seul que je peux rendre service. Qu'on me laisse les mains libres et je remplirai mon devoir. »

Il fit trois ou quatre pas au-devant des visiteurs et, tout de suite, allongeant hors d'une veste trop courte des poignets à l'ossature saillante, il commença de saisir les livres à pleines mains pour débarrasser les chaises.

— Je suis content, disait-il, de vous voir, mon cher Weill. Content aussi de voir l'ami dont vous m'avez tant parlé. Asseyez-vous, monsieur Pasquier. Votre visite me touche beaucoup. Je suis très bien renseigné. Je sais que vous êtes chef de service à l'Institut National de Biologie. C'est un beau titre et une belle place. Je sais aussi que vous n'avez pas voulu signer la protestation que j'ai rédigée ces jours-ci et qu'on a fait circuler dans les milieux intellectuels. Croyez bien que je ne vous en veux pas. Je comprends tout. Weill m'a dit que vous aviez des idées scientifiques sur l'effet désastreux que peuvent produire les balles ordinaires. Vous êtes en contradiction avec ce qu'écrivent la plupart de nos chirurgiens militaires. Croyez bien, monsieur Pasquier, que je n'agis pas à la légère. Je me suis documenté. J'ajoute que l'article du *Miroir Universel* est farci d'images irréfutables et d'ailleurs obsédantes. Un homme de ma sorte, après avoir lu cet article, n'avait plus qu'une chose à faire, et je l'ai faite aussitôt.

— Mon cher maître, dit Justin, vous avez sauvé l'honneur de l'intelligence française.

— Ne m'appelez pas « mon cher maître », dit le vieil homme en riant. Vous allez m'intimider. Il me semble que j'aurais démérité de moi-même si je n'avais pas élevé la voix. A quoi peut servir le crédit que l'on veut bien m'accorder dans les milieux universitaires et littéraires, si ce n'est à faire connaître la désespérante vérité? Car tout cela, mon cher Weill, est assez épouvantable. La guerre est, dans son essence, un phénomène monstrueux... Eh bien! cela ne suffit pas. Il faut que des criminels se permettent d'insulter aux lois que, péniblement, dans l'intervalle de deux crises, les hommes tâchent d'établir pour limiter les effets de leur propre férocité. Eh bien! il ne sera pas dit que nous autres, nous qui sommes, par vocation et par devoir, les témoins de notre époque, les vrais responsables, en somme, il ne sera pas dit que nous aurons fermé les yeux et gardé le silence. Il ne sera pas dit que nous nous serons contentés, comme le Romain Pilate, de nous laver les mains. Nous n'empêcherons peut-être rien, mais nous aurons tout d'abord donné à notre conscience quelque chose comme un allégement. Ça ne suffirait d'ailleurs pas. Il n'est pas du tout prouvé que nous n'obtiendrons pas aussi quelque chose comme une victoire. Je sais de bonne source que la légation de Bulgarie a déjà fait plusieurs démarches au quai d'Orsay. Voilà un symptôme.

— Nous avons, s'écria Justin, réuni plus de cent cinquante signatures. Et j'ai l'honneur d'en avoir récolté quarante-quatre à moi tout seul : Anatole France, Charles Richet, Lucien Herr, Lapicque, Seignobos...

— C'est magnifique! dit Noël Chérouvier en tirant d'un air pensif sur les longs poils de sa barbe. Oh! cela peut nous consoler d'une certaine sorte d'attaques.

— Monsieur, s'écria Justin en rougissant d'un seul jet, monsieur, je vous ai dit dès le début que mon cher ami Pasquier se trouvait, bien malgré lui, le beau-frère de ce Fauvet...

— Oh! dit le vieil homme en agitant devant ses yeux sa main aux doigts écartés, j'imagine volontiers que votre ami, puisqu'il est votre ami, d'abord, et puisqu'il a cette loyale figure, et enfin puisqu'il vient me voir, n'est pour rien dans les insultes de ces malheureux pédants.

Laurent baissa la tête.

— Les gens dont vous parlez, dit-il, ne me demandent pas mon avis. Si j'avais pu les empêcher...

M. Chérouvier fit effort pour sourire.

— Je devrais être immunisé, soupira-t-il. Eh bien! mon cher Weill, figurez-vous qu'il n'en est rien. Depuis trente ans que je bataille avec la plume et la parole, depuis trente ans que je reçois des coups, je devrais avoir le cuir tanné. Les insultes devraient glisser sur ma peau comme sur une cuirasse. Mais non, je suis toujours vulnérable. Il y a toujours des flèches qui me blessent et qui m'empoisonnent. J'en suis honteux. Je devrais le taire.

Je vous le confesse à vous, Justin Weill, parce que je vous aime assez pour me montrer tel que je suis. Et je ne me cache même pas de votre ami Pasquier, puisque je sais que vous l'aimez.

Justin leva vers son maître un regard chargé de flamme. Mais déjà le vieil homme, tous ses traits assouplis, voguait vers un autre horizon.

— Ma place, disait-il, sera toujours à égale distance des deux adversaires et, si force m'est de choisir, toujours avec le vaincu. Je sais qu'il y a peut-être, dans cette vocation, beaucoup d'orgueil et même de naïveté. Tant pis. Telle est ma nature. Je ne pourrai jamais m'empêcher de corriger la balance, de jeter le peu que je vaux, le peu que je représente dans le plateau du malheureux.

Comme Chérouvier se taisait, Laurent dit, entre ses dents :

— Et vous ne craignez jamais, monsieur...

— Quoi?

— De vous tromper, par exemple.

M. Chérouvier partit à rire.

— Monsieur Pasquier, grondait-il, vous êtes un homme de laboratoire, un savant, un chercheur de raisons et de preuves. Eh bien! tranquillisez-vous : on ne se trompe jamais quand on demande un peu plus d'humanité dans les relations entre les peuples, on ne se trompe jamais quand on demande la grâce d'un condamné à mort.

— Et si, dit Laurent d'une voix sourde, si le condamné à mort n'existe pas, par exemple?

M. Chérouvier riait de plus belle.

— Il vaut mieux demander mille fois la grâce

d'un fantôme, même au péril de passer pour un
monsieur ridicule, que de laisser périr un innocent.

Le vieil homme venait de se lever, comme pour
donner à entendre que l'audience était finie. Pendant que les deux amis tâchaient à retrouver leur
chemin parmi les archipels de bouquins, les pro-
montoires de papiers, les récifs de brochures,
M. Chérouvier tenait à Justin toutes sortes de propos affectueux :

— Travaillez-vous, mon petit Weill?

— Mal, monsieur, très mal en ce moment.

— Alors, je vous plains. Nous autres, qui sor-
tons tout de nous-mêmes, nous avons des façons de
souffrir que ne peuvent même pas comprendre les
autres hommes. Quand je sens que la source jaillit,
je suis volontiers optimiste. Et si je la sens tarir,
aussitôt tout me devient impossible et funeste.
Nous sommes des égocentristes et c'est presque inévitable. Si l'inspiration m'abandonne, la lumière
du ciel se ternit, la vie se retire du monde, le mouvement même des planètes est touché de paralysie.
C'est une condition pénible. Il faut travailler,
Weill, travailler à tout prix. Il faut apprendre à
rester seul dans une chambre, comme disait Pascal. Allons, je vous verrai demain. A bientôt,
monsieur Pasquier.

A peine sur le trottoir, Justin prit le bras de
Laurent.

— Où vas-tu, maintenant?

— Chez moi, rue du Sommerard.

— Permets que je t'accompagne. Alors, comment le trouves-tu?

— C'est sûrement un honnête homme.

— C'est tout ce que tu consens à dire?

— Cela ne te suffit pas?

— Moi, je le nomme : notre conscience et même notre lumière !

Les deux jeunes gens allaient, d'un pas pressé, dans la nuit éblouie de lumières et de brouillards. Au bout d'un long moment, Justin reprit, l'accent grondeur :

— Ce qu'il y a de plus grave, à mon avis, dans ton cas, c'est que tu me parais avoir perdu la faculté d'enthousiasme.

— Tu finiras par m'exaspérer. Je n'ai rien perdu de tel. Seulement, je sais des choses...

— Tu vas m'expliquer, sans doute, une fois de plus, que les balles ordinaires font des plaies épouvantables, alors que, comme l'ont démontré tous les chirurgiens militaires, les balles normales, quand elles ne sont pas mortelles, font des plaies parfaitement propres et sont, la plupart du temps, je ne dis pas inoffensives, mais c'est tout comme. Tu vas m'expliquer sans doute quelque nouvelle sottise. En somme, tu es sûr d'en savoir plus que tout le monde.

— Non, dit nettement Laurent, la tête dans les épaules, prêt à faire front. Mais je suis sûr de savoir quelque chose que tu ne sais pas, quelque chose que M. Chérouvier ne sait pas, quelque chose que vous ne saurez pas parce que je ne vous le dirai pas.

Le visage de Justin Weill exprima soudainement une ardente et puérile curiosité.

— Laurent, je t'en supplie, raconte-moi ce que tu sais.

— Non !

— Laurent, au nom de notre amitié !

— N'invoque pas une amitié que tu blesses et que tu méprises. Si je te dis ce que je sais, ce sera pour me justifier, d'abord, ensuite pour te faire un peu mal, car tu ne mérites pas autre chose. Enfin je n'ouvrirai la bouche que si tu prends l'engagement de ne jamais répéter, surtout pas au père Chérouvier, ce que je vais te dire.

— Je le jure, souffla Justin Weill.

— Bien. Alors, montons chez moi. J'allumerai le poêle à pétrole.

Quelques minutes plus tard, les deux amis se retrouvaient face à face dans la chambre de Laurent. La fenêtre sans rideaux donnait sur un ciel embrasé par la lueur de Paris. Laurent nettoyait la mèche d'une petite lampe grésillante.

— Je t'ai déjà parlé, dit-il, de M. Mairesse-Miral.

— Oui. Va tout de suite à l'essentiel.

— Le personnage de M. Mairesse-Miral est plus utile que tu ne le crois pour l'intelligence de mon histoire.

— Bon. Et alors ?

— Comme tu es impatient ! M. Mairesse-Miral est le secrétaire particulier de mon frère Joseph.

— Je me demande ce que ton frère Joseph peut bien venir faire au milieu de la guerre balkanique.

— Tu as tort de te le demander. Mon frère Joseph est partout. Il suffit de l'y apercevoir. Et puis, ne m'interromps plus ou je ferme le bec tout à fait. M. Mairesse-Miral est le secrétaire particulier de mon frère, son factotum, son âme damnée, son éminence grise.

— Et après?

— Silence! M. Mairesse-Miral, que je rencontre quelquefois, me dit, sous le sceau du secret, toutes sortes de choses curieuses concernant mon frère Joseph. Comprends bien : c'est la vengeance de M. Mairesse. Il adore mon frère, son bourreau, et il le déteste en même temps. Alors, pour se soulager, il vient me raconter certaines affaires de Joseph. C'est comme cela qu'il m'a conté l'histoire de l'assurance, dans l'incendie de la Pâquellerie, et, avant, l'histoire de la fausse ruine de Joseph, et, autrefois, l'histoire du barrage de la Roumagne, et d'autres histoires encore. Bien. Maintenant, nous arrivons à la guerre balkanique.

— Il est temps.

— L'intervention de M. Chérouvier, intervention que je trouve parfaitement respectable, est tout entière fondée sur l'article paru dans *le Miroir Universel*.

— Sans doute, mais Chérouvier a pris des renseignements.

— D'accord. L'article du *Miroir Universel* est au commencement de tout. Il est signé Gaston Délia, ou quelque chose de semblable. Mais il a été, presque mot pour mot, dicté à Gaston Délia par mon frère, Joseph Pasquier. Voilà! Voilà! Voilà!

— Attends, murmura Justin d'une voix réticente. Je ne comprends pas très bien.

— C'est naturel : tu es malin; mais pas assez malin pour piger les choses de cette espèce-là. Maintenant, allons par ordre : M. Joseph Pasquier, dès le début de la guerre balkanique, a fourni à la Bulgarie des munitions provenant d'Allemagne.

— D'Allemagne? Attends, je m'embrouille. Pourquoi d'Allemagne?

— L'Allemagne ne pouvait pas fournir en même temps, ouvertement, des armes à la Turquie et aux adversaires de la Turquie. Pour ces derniers, il fallait un intermédiaire, et la firme Joseph Pasquier a servi d'intermédiaire, tout simplement. M. Joseph Pasquier ne fabrique pas lui-même des munitions. Il ne fabrique, d'ailleurs, exactement rien.

— Continue! Continue! C'est effrayant.

— Mais non. C'est tout simple. Un mois avant l'armistice, la Bulgarie a fait affaire avec une firme anglaise. Ce qui signifie que M. Joseph Pasquier a perdu le marché.

— Mais les balles explosives?

— On y arrive. Un peu de patience. Joseph Pasquier a cherché le moyen de jouer un sale tour aux fournisseurs anglais. Il a fait constituer, par M. Mairesse-Miral, un dossier de photographies établissant que les nouvelles balles bulgares étaient l'objet d'une malfaçon et qu'elles produisaient des effets quasiment explosifs.

— Oui, oui, je commence à comprendre. Mais alors, ces photographies...

— ... Sont, pour plus des deux tiers, empruntées par M. Mairesse-Miral à d'intéressantes collections particulières et n'ont pas de rapports précis avec la guerre balkanique. Bien. Si l'armistice est rompu, M. Joseph Pasquier a des chances de retrouver son marché, parce que l'opinion publique a commencé de se mettre en branle. Songe que cent cinquante intellectuels, M. Noël Chérouvier en tête, viennent de signer un manifeste.

— Ils ont eu raison quand même!

— Oui, je ne les désavoue pas. Mais je pense que tout cela, c'est un coup de Joseph Pasquier. Et ça me dégoûte! Ça me dégoûte!

— Attends! Attends! dit Justin. Je vais écrire un article.

— Non, mon vieux, tu n'écriras rien.

— Je me demande bien pourquoi.

— Parce que tu m'as promis de ne pas ouvrir la bouche, et parce que j'ai promis moi-même de ne rien raconter de tout cela; parce que je ne peux pas jouer un sale tour au triste Mairesse-Miral.

— Ce vieux singe est sans importance.

— Enfin, parce que cela ne servirait à rien. Mon frère démentirait tout. Si, cela servirait sans doute à quelque chose : à jeter le discrédit sur toutes les initiatives des honnêtes intellectuels dont tu as sollicité, toi, Justin, la signature.

— Pourquoi n'as-tu rien dit, tout à l'heure, à Chérouvier?

— J'étais venu pour lui parler. Et puis, je n'ai pas osé. Comment te faire comprendre? J'ai eu honte.

— Ainsi tu es en quelque sorte le complice de Joseph.

— Toi aussi, maintenant. Et c'est toi qui l'as voulu.

— Moi aussi. Je l'ai voulu. J'irai tout raconter à Chérouvier.

— N'en fais rien, je t'en conjure. Pour Chérouvier d'abord, qui est un honnête homme, et par conséquent une force qu'il ne faut pas discréditer.

Justin errait par la chambre en se tordant les mains avec un vrai désespoir.

— Oh! grondait-il, c'est à devenir enragé. Où est le devoir? Où est la voie? Est-ce que nous autres, qui nous croyons le sel de la terre, nous ne sommes que des instruments entre les mains des canailles, des escrocs et des dégoûtants? Où est le devoir, Laurent?

Laurent haussa les épaules.

— Il faut voir clair et chercher.

Justin était venu se coller le front à la fenêtre. Il regardait, dans le ciel, respirer la lueur de Paris.

— Une société semblable, dit-il avec amertume, ne peut pas vivre. Alors qu'elle meure tout de suite! Qu'elle change! Qu'on recommence tout!

Comme Laurent ne disait rien, Justin s'efforça de sourire.

— Je te demande pardon, dit-il. Un Juif, il faut toujours qu'il prophétise et qu'il maudisse. Chez nous, c'est dans le sang.

— Tu n'imagines pas, je pense, que les Juifs n'auraient pas leur part dans cet affreux chaos?

— Oh! je sais! je sais! Nous avons annoncé nous-mêmes, les premiers, que le temple serait détruit. Nous jugeons les autres peuples, mais nous nous jugeons aussi. Laurent! Où est le devoir?

CHAPITRE XI

Le Dr Pasquier faisait sauter avec force éclats de
rire un petit garçon sur ses genoux. L'enfant battait des mains et criait : « Encore! Encore! »

Le docteur, en société du jeune acrobate, exécuta
plusieurs exercices de voltige et dit, posant l'enfant
par terre :

— Cette semaine, tu le vois, Laurent, nous
avons le petit Jean-Pierre. La semaine dernière,
c'étaient Lucien et Finette. Tu remarqueras, mon
ami, que Joseph ne nous oublie pas et qu'il nous
fait toute confiance. Nous avons toujours chez nous
deux de ses mioches ou les trois. En échange, car
Joseph est un esprit équitable, il nous donne de
bons conseils pour nos placements d'argent. Le
seul malheur est que je n'ai jamais l'occasion de
placer de l'argent. C'est même tout le contraire.

Pour ce qui est des crapauds à Joseph, je t'avoue-
rai que ça me fait plaisir. J'ai toujours aimé les
enfants.

Le Dr Pasquier ferma fortement l'œil gauche et
siffla d'un air guilleret :

— Je les ai toujours aimés. Je les aime, comprends-moi bien, depuis l'instant précis où nous
commençons à faire quelque chose en leur faveur
— tu vois ce que je veux dire — jusqu'au jour où
ils se mettent à devenir de grandes personnes raisonnables. Dame, après, c'est moins drôle. Des
gosses, ici? Tant qu'on en veut! Ça m'amuse, ça
me ravigote. Mais à la condition que toute cette
marmaille ne m'appelle pas grand-père. Ça sent les
rhumatismes, les foulards, la chaise percée, la
chancelière, la tête branlante, bref, tout ce que je
déteste. Alors, ils m'appellent grand-Ram. Ça,
c'est gentil, c'est copain, ça ne fleure pas le cor-
billard. Maintenant, va jouer, mon petit gars. Nous
avons des choses à nous dire, ton oncle Laurent et
moi.

Le Dr Pasquier ouvrit un tiroir, y prit un volu-
mineux cahier et s'écria :

— Voilà l'objet!

— Quel objet? demanda Laurent.

— Mon garçon, voilà le chef-d'œuvre! Et je ne
dis pas ça en plaisanterie. Ou bien je n'y connais
rien, ou bien c'est un petit chef-d'œuvre.

— Mais, papa, je n'en doute pas.

— On ne le dirait guère à te voir. Tu as l'air de
sortir du coma. Je sais que la distraction est un
privilège du monde scientifique. Mais, dans le
genre distraction, tu dépasses le raisonnable.

Alors, voilà le chef-d'œuvre! Tu ne vas pas le lire
ici. Je préfère que ta mère... Elle n'a pas des vues
particulièrement indulgentes sur l'art des belles-
lettres. Et puis, il y a autre chose. J'ai voulu faire
recopier mon manuscrit par une agence, en trois
ou quatre exemplaires...

— C'est en effet plus prudent.

— Malheureusement, je suis tombé sur des pira-
tes, comme toujours. Ils me demandaient deux
cents francs. Je leur ai déclaré : « Oui, mais seulement si j'attrape le grand prix de l'Académie. »
Ils m'ont ri au nez. Je me suis trouvé dans l'obligation de leur faire une scène et de leur dire à voix
haute un certain nombre de vérités. Hum! Hum!
Ensuite, j'ai fait copier mon travail par une personne de mes amies. C'est pourquoi je crois préférable de ne pas laisser ce manuscrit entre les mains
de ta mère. Enfin, tu m'entends.

— Mais maman ne connaît pas l'écriture.

— On ne sait pas. On ne sait jamais. Tu vas
mettre ce cahier dans ta serviette. Et si tu vois
quelques fautes d'orthographe, aie la courtoisie,
mon garçon, de ne pas me les attribuer. Je déteste
les fautes d'orthographe. Bien. Tu liras cela, tranquillement, le soir, chez toi, pour te distraire, et tu
me diras tout net quels sont, à ton avis, les passa-
ges les mieux venus. Maintenant, il faut que je t'en
parle, pour te préparer un peu. Le titre, d'abord! Il
est joli. Tu vois : *Le vent dans les voiles*. Au fond,
ce titre-là, c'est le rêve de toute ma vie. Frrrt...
Blll... Psst... Le vent se lève et l'on s'envole. Qui
sait si ce n'est pas mon tour? Il y en a qui, pour
leur début, gagnent une petite fortune : quarante

ou cinquante mille francs. Enfin, revenons à l'histoire dont je t'ai déjà parlé. C'est l'histoire d'un bonhomme qui s'appelle Poutillard. Qu'est-ce qu'il y a? Ça ne va pas?

— Dame, ce n'est pas très heureux. On dirait un nom de vaudeville. Ça donne tout de suite le sentiment d'un nom inventé.

— Mon garçon, ce n'est pas possible, c'est justement le nom d'un bonhomme que j'ai connu.

— Raison de plus pour t'en défier. Imagine que ce bonhomme te poursuive en justice.

— Eh bien! mon cher, je plaiderai. Au fait, rien à craindre : le vrai Poutillard est mort il y a douze ans. Et puis, laissons cela de côté. Si tu m'interromps toujours, je ne pourrai pas te faire comprendre ce que j'ai voulu peindre. Ce Poutillard est le fils de petites gens à la solde d'une famille noble, pendant le second Empire. Mais ça, c'est sans importance. J'en parle parce qu'il faut toujours donner les antécédents héréditaires, comme en médecine, tu comprends bien? Grâce aux patrons de son père, Alfred Poutillard fait des études de droit. Il est étudiant à Paris, licencié, presque docteur. Le livre commence en juillet 1870. Poutillard vit dans une joyeuse société d'étudiants au quartier latin. Je te promets que cette partie de mon roman n'engendrera pas la mélancolie. Et Poutillard a des ennemis, parce qu'il a chipé la maîtresse d'un camarade. Imagine quelque chose dans le goût de Murger, mais plus vivant, plus corsé. Alors voilà que les ennemis de Poutillard ont l'idée de lui faire une farce. Ecoute-moi bien, Laurent, nous entrons dans le vif de l'affaire. Après une petite querelle

pendant laquelle Poutillard se laisse aller à des
excès de langage, peut-être même à des sévices, le
principal ennemi de Poutillard le provoque en
duel. On désigne des témoins. Je te recommande
particulièrement la scène des témoins.

— Mais, papa, si tu me racontes l'histoire, je
n'aurai plus la moindre surprise.

— Pourquoi donc ? Chaque fois que je la raconte,
elle m'amuse de nouveau. Il faut que tu saches
que ce duel est une plaisanterie, mais une plaisanterie sinistre. L'affaire doit se vider, le lendemain,
au bois de Boulogne. Les témoins ont préparé, en
secret, des pistolets chargés à blanc. L'adversaire
de Poutillard est un mystificateur. Mais Poutillard
ne sait rien. Il arrive sur le terrain. On lui donne
son pistolet. On compte les pas. « Allez, messieurs! » Poutillard tire, n'importe comment. Et
vlan! son adversaire tombe la face contre terre,
dans l'herbe. Poutillard est épouvanté. Il veut se
précipiter au secours de sa victime. Les témoins
l'en empêchent, le font monter dans un fiacre et
lui expliquent en chemin qu'il va être arrêté, jeté
en prison, traduit en justice et que le mieux pour
lui est de filer en Belgique. On est le 7 juillet.
Retiens bien cette date. Poutillard prend un billet,
monte dans le train et, le soir même, il couche à
Bruxelles dans un petit hôtel, près de la gare du
Nord. Les copains de Poutillard, pendant ce temps,
se payent une pinte de bon sang. A peine Poutillard dans le fiacre, la victime s'est redressée sur
ses jambes. Tout cela n'était qu'une farce pour em-
bêter Poutillard. Et pendant que le malheureux
Poutillard roule dans le train de Bruxelles en se

mordant les poings, les copains de Poutillard vont
prendre un déjeuner fin à l'Ile de la Grande-Jatte.
Il est bien convenu, entre eux, qu'après huit ou
dix jours d'attente on fera revenir Poutillard. Mais
voilà tout à coup que, le 15 juillet, la guerre est
déclarée, la guerre avec l'Allemagne. Personne, du
coup, ne pense plus à Poutillard. Et comme le
malheureux Poutillard était mobilisable — je t'ai
dit qu'il était pauvre, enfin tu verras tout ça —
bref, Poutillard est déserteur. Il ne rentre pas en
France. Il n'ose plus... Je remarque, mon garçon,
que tu commences à m'écouter.

— Mais oui, c'est intéressant, comme peut l'être
une destinée.

— Une destinée, tu as dit le mot. Ici, Laurent,
commence la plus belle partie du livre, celle dont
je t'ai déjà parlé. Je ne t'expliquerai pas tout.
L'essentiel est de savoir qu'Alfred Poutillard devient, sous le nom de Van de Viese, un grand
homme d'affaires belge. Il fait partie, malgré sa
jeunesse, de la conférence internationale de 1876.
Il entre dans les bonnes grâces du roi Léopold qui
le nomme chef de mission et l'expédie au Congo.
Là, Van de Viese, alias Poutillard, fait la rencontre
de Stanley. Magnifique portrait de Stanley, dans
mon bouquin.

— Tu n'as pas connu Stanley.

— Evidemment non, mais le dictionnaire Larousse, tu penses peut-être qu'il est fait pour les
mouches. Mon cher, avec le dictionnaire Larousse
en sept volumes, celui qui a des images, tu as
connu Stanley, Timour, Gustave Adolphe et pas
mal d'autres. Tous les gens qui font ces romans

extraordinaires que tu lis le soir, en bavant, jusqu'à ce qu'il n'y ait plus une goutte de pétrole
dans ta lampe, tous ces gens ont pioché le dictionnaire Larousse. Et tu me feras l'amitié de croire
que je ne suis pas plus bête qu'un autre. Mais revenons à Van de Viese. Il accomplit en trois ans, au
Congo, une carrière mirobolante. Il se taille un
empire, devient quasiment le roi d'un peuple
entier de nègres et surtout, surtout, il amasse une
fortune immense.

Le Dr Pasquier arrêta sur Laurent un regard
pâle, azurin, dont les pupilles étaient accommodées
à l'infini. Puis il sourit et dit, la bouche pleine de
salive :

— J'aime beaucoup les personnages qui font des
fortunes immenses. C'est drôle, mais ça me fait
plaisir comme s'il s'agissait de moi. Je n'aurai
peut-être jamais d'argent, bien que quelque chose,
là, me dise le contraire. Du moins, j'aurai eu du
plaisir avec toute la galette de mon Poutillard. Et
maintenant, je continue. Alors, c'est la grande vie!
Van de Viese possède un harem. Deux cents femmes au moins. Je peux en rajouter. Pourquoi pas
une pour chaque jour. Poutillard, enfin je veux
dire le gouverneur général Van de Viese, possède
une puissance d'amour formidable. J'aime les personnages de roman qui ont une puissance d'amour
formidable. Et, tout cela, dans les palmiers, le
paysage tropical. Tu vois bien?

— Mais comment as-tu fait pour peindre le
paysage tropical? Ton dictionnaire Larousse est
bon pour un type historique. Mais la nature tro-
picale...

— Mon ami, tu ne vas pas te figurer que je suis
allé passer mes journées dans la serre du Jardin
des Plantes. Et l'imagination ? Qu'est-ce que tu fais
de l'imagination ? Des palmiers! Mais je n'ai qu'à
fermer les yeux et je les vois, les palmiers, comme
si j'y étais. Non, je n'ai pas visité les tropiques. Ce
n'est pourtant pas que l'envie m'en ait manqué. Si
j'avais été seul au monde... j'aurais été explora-
teur. Oh! je ne vous fais pas de reproches : vous
êtes là, je ne m'en plains pas. C'est comme ça,
voilà tout. Oui, je te parlais de l'imagination. Moi,
quand je regarde un plumeau, je vois tout de suite
un cocotier. Ah! l'imagination! Ecoute un peu, ce
matin, pendant que je me rasais, je songeais à ces
milliers de petits bouts de poil que j'étais en train
de couper. Tu sais que le poil est d'une structure
très résistante. Ça ne se détruit pas vite. Alors, il
ne t'est jamais arrivé de les suivre, par l'esprit, tous
ces petits morceaux de toi qui partent avec l'eau
de toilette, qui gagnent l'égout, qui vont à la
Seine, etc., etc. ? Moi, il m'arrive de les suivre, par
la pensée. Ça m'occupe une partie du jour, et le
soir... eh bien! le soir, je me réveille au Japon.
Enfin, assez pour les poils. Revenons à Poutillard,
c'est-à-dire à Van de Viese. Je vois, mon cher
garçon, que tu m'écoutes d'une oreille assez favo-
rable. Qu'est-ce que ce sera quand tu liras le texte
même. Le gouverneur général Van de Viese rentre
en Belgique. Il a, malheureusement pour lui, l'idée
de quitter le navire à Bordeaux. Un désir secret de
revoir la France. Il descend donc à Bordeaux et il
est en train de déjeuner au *Chapon fin*...

— Décidément, tu sais tout.

— Mon cher, c'est mon métier, c'est le métier de romancier. Pense qu'avec le Bottin et le guide Joanne il y a des centaines et des centaines de romans à composer, et des romans tous plus originaux les uns que les autres.

— Mais qu'arrive-t-il, pendant que ton bonhomme déjeune au *Chapon fin?*

— Je vois que tu t'intéresses à l'histoire de Poutillard. Bien. Ce qui arrive, me dis-tu? Tout simplement, la police! Poutillard, dit Van de Viese, a été dénoncé à la police française par l'amant de sa femme, car je ne t'ai pas dit qu'il était marié à une Américaine; mais tu verras ça dans le livre.

— Et le harem des deux cents femmes?

— Aucun rapport avec le mariage. Voilà donc les policiers qui viennent pour coffrer Poutillard, inculpé de désertion à l'étranger. Alors Poutillard se lève et il les engueule, mon cher. Non, mais une engueulade de première classe, une engueulade « tout laine », une engueulade « pur porc », quelque chose comme une engueulade « angora ». Je peux t'avouer que je m'en suis donné à cœur joie. Et Poutillard, avant de se laisser mettre les menottes, dit, je te prie de le croire, tout ce qu'il pense de la société. Moi, j'aime beaucoup les personnages qui engueulent la police. Tu comprends bien : ça me soulage. Alors commence le grand chapitre de la prison... Qu'est-ce que tu veux, Suzanne?

Suzanne Pasquier venait d'entrer, d'un mouvement tout naturel, dans le cabinet de son père. Elle était, comme Cécile, un peu plus grande que Laurent. Elle ne ressemblait pas, comme Cécile, à

Minerve, mère des arts, mais bien plutôt à Cypris au sortir de l'adolescence.

— Suzanne, dit le docteur, quand voudras-tu consentir à frapper discrètement avant de tourner le bouton et de pousser la porte? Songe que c'est ici le cabinet d'un médecin. Tu pourrais, à l'improviste, me trouver en train d'examiner un malade. Pour une jeune fille comme toi, c'est presque toujours un spectacle extrêmement inconvenant. Sans parler des malades qui n'aiment pas beaucoup montrer leur nez à des profanes.

Suzanne se mit à rire :

— Oh! s'écria-t-elle, tu dirais que je suis ton infirmière. Si seulement tu m'offrais un costume d'infirmière! Je crois que cela m'irait bien.

— Et alors, Poutillard? demandait encore Laurent.

— Non, soupira le docteur avec une grimace ennuyée. Suzanne a coupé mon effet. Non, je ne peux pas continuer à te raconter mon livre devant Suzanne. D'abord parce que ce n'est pas convenable pour une jeune fille. Ensuite parce que je le lui ai déjà raconté. En gazant, bien entendu. Non, Laurent, emporte le manuscrit et ne dis rien à ta mère. Toute réflexion faite, Suzanne, laisse-nous quand même un instant, ton frère et moi.

Et comme Suzanne se retirait, l'air boudeur, le docteur vint s'asseoir à côté de Laurent.

— J'ai pour principe, disait-il, de ne pas me mêler de vos affaires à vous autres, Mais, enfin, on m'a dit — tu n'as pas besoin de savoir qui — on m'a dit que mon gendre, tu sais, Fauvet... au bout du compte, je n'en ai qu'un de gendre, et ça me

suffit... On m'a donc dit que ce Fauvet... C'est
très difficile à raconter et c'est même incroyable...
Il paraît que ce garçon, dont la tête ne m'est
jamais revenue, se permet de tromper sa femme.

— Je me demande, fit Laurent, l'air furieux,
qui t'a dit une chose pareille?

— N'importe, je le sais. Et je ne peux pas
t'expliquer à quel point cela me vexe. C'est même
vexant pour nous tous. Si encore ce garçon était
un Don Juan, un type d'homme fait pour cela.
Mais non. Il est sans prestance. Et puis, on m'a
même dit qu'il était tout le temps malade :
l'asthme, l'emphysème, des crises d'étouffement.
Le comble du ridicule.

— Enfin, papa, dit Laurent, il y a des gens qui
trompent leur femme et que tu ne critiques pas,
pour lesquels même tu es d'une extraordinaire
indulgence.

— Mon cher, si tu dis ça pour moi, je te ferai
remarquer que c'est très désobligeant, tout au
moins en ce qui me concerne. Et en ce qui touche
ta mère, c'est beaucoup plus qu'incorrect. Ta mère
est une vieille personne qui a droit à votre respect. Enfin, il ne s'agit pas de nous. Je te parlais
de Cécile. J'avais tort. Tu ne comprends rien au
sentiment de la famille. Ah! la famille! Voilà un
beau sujet.

— Pour quoi?

— Pour un roman. Autre chose, mon ami. Tu
ne connaîtrais pas quelqu'un qui me prêterait
quatre mille francs?

— Quatre mille francs! C'est énorme.

— Nous en reparlerons plus tard. Je te le dis

une fois encore : que le manuscrit du bouquin ne sorte pas de ta serviette. Sois discret, mon cher garçon. Si tu vois Suzanne en t'en allant, ne lui parle pas de son titre.

— Quel titre? Elle fait aussi un roman?

— Non, son titre de rente, le titre qu'elle doit avoir, comme vous tous.

— C'est possible. Je ne sais pas.

Laurent, en quittant le docteur, se mit en effet à la recherche de Suzanne. Elle était dans sa chambre et répétait un rôle, debout devant l'armoire à glace.

— Suzanne, murmura le jeune homme, le visage soudain sérieux. Je ne veux te dire qu'un mot.

Suzanne tenait une brochure à la main. Elle regarda Laurent d'un œil absent et gémit, la voix délicieuse :

Je sais qu'en vous voyant, un tendre souvenir
Peut m'arracher du cœur quelque indigne soupir...

— Suzon, reprit Laurent en fronçant les sourcils. C'est sérieux et même c'est grave.

La jeune muse continuait, l'œil vers le grand miroir :

Que je verrai mon âme en secret déchirée,
Revoler vers le bien dont elle est séparée...

— Ma petite Suze, dit Laurent tout à trac, as-tu l'intention d'épouser mon ami Roch?

La voix de Suzanne expira dans la surprise :

Mais je sais bien aussi que, s'il dépend...

...Quelle question! dit-elle en ouvrant de grands yeux.

— Suzanne, je t'ai promis de ne pas parler long-temps. Je te demande — pour le savoir — si tu as l'intention de jouer avec Roch le jeu que tu as joué d'abord avec Testevel, puis avec Larseneur, enfin le jeu d'une coquette.

Suzanne ferma son livre et regarda Laurent de ses yeux soudain brillants de grosses larmes véri-tables.

— Une coquette! Une coquette! Mais qu'est-ce que j'ai fait, Laurent?

— Allons, disait Laurent, troublé. Je t'en prie... si Joseph ou Ferdinand nous voyaient, ils ne manqueraient pas de dire que je suis insuppor-table. Et le plus grave, c'est peut-être que je suis insupportable. C'est bon! Je ne te dis plus rien. Je m'en vais. N'en parlons plus.

Suzanne, à travers ses larmes, recommençait à sourire. Elle soupira, d'une voix merveilleusement brisée :

> Je fuis. Souvenez-vous, prince, de m'éviter;
> Et méritez les pleurs que vous m'allez coûter.

Laurent n'entendait plus. Il s'enfonçait, tête basse, dans l'ombre du vestibule.

CHAPITRE XII

Le valet en livrée verte à boutons d'or se tenait debout devant la table depuis plus de cinq minutes, et, comme il n'osait point parler, Joseph sortit enfin, des livres qu'il consultait, un nez non pas lourd, mais solide et puissamment inséré sur la charpente du masque.

— Qu'est-ce que c'est? Qu'est-ce que vous voulez encore?

La voix était mâle, un peu basse, parfaitement bien timbrée. Le domestique répondit en arrondissant les épaules :

— C'est M. Ferdinand Pasquier. Il dit qu'il a rendez-vous.

— C'est possible. C'est bien possible. Alors, faites-le entrer. J'attends ensuite M. Mairesse, avec une autre personne. Vous leur direz de patienter. Et maintenant, dépêchons-nous.

Ferdinand venait d'apparaître dans l'entrebâillement de la porte. Comme toujours dès qu'il lui fallait affronter son frère Joseph, il faisait visiblement effort pour se mettre en garde, pour se redresser, pour porter le regard au-dessus de la ligne d'horizon, pour renvoyer dans l'arrière-train une bonne partie du ventre qui commençait de lui poindre. Mais il était presque aussitôt forcé, par sa grande myopie, de rendre à son encolure une courbure habituelle, et, presque aussitôt, le ventre, un instant vaincu, revenait gonfler le gilet et tirer sur les boutonnières. Ferdinand souhaitait depuis longtemps d'entrer le chapeau sur la tête dans le cabinet de Joseph, mais il n'y parvenait point. Saisi dès le seuil par on ne sait quel respect, il se découvrit tout de suite, cette fois-là comme les autres.

— Assieds-toi, dit Joseph. Je suis content de te voir. Qu'est-ce qui me vaut l'avantage de ta visite?

— Mais, murmura Ferdinand, tu m'as donné rendez-vous.

— C'est, ma foi, bien possible. Te rappelles-tu pourquoi?

— Oui, je viens toucher l'argent.

— Quel argent, mon bon ami?

Ferdinand remonta son pince-nez aux verres épais et tira de sa poche un petit calepin.

— Ce n'est pas compliqué, fit-il. Deux années d'intérêt à quatre, cela fait exactement quatre cents, plus une année, au même taux, d'intérêt des intérêts, cela fait quatre cent huit.

— Admirable! dit Joseph. Le compte est parfaitement exact. Vois comme nous sommes d'accord.

Joseph ouvrit un tiroir et saisit une enveloppe cachetée sur laquelle était écrit : Février 1913. F. P. 408 francs.

— Attends seulement une seconde, reprit Joseph Pasquier. Je dois, pour la bonne règle, faire établir un reçu. Les droits de timbre, tu le sais, sont à la charge de la personne qui bénéficie du reçu. Il faut avouer que ce texte n'est pas très clair. Car, en somme, dans la circonstance, le bénéfice est uniquement de ton côté. Nous verrons tout cela plus tard. Ne t'inquiète pas, tu l'auras, ton enveloppe. J'aime payer. Chez moi, payer, c'est une passion. Quand je paye, il me semble que je m'allège, que je me purifie. Je te le répète, c'est une passion.

Ce disant, d'un geste calme, Joseph déposa l'enveloppe dans le tiroir qu'il repoussa du genou.

— Voilà probablement, fit-il, la seule part de ta petite fortune dont tu obtiennes un rendement.

Ferdinand se prit à souffler entre les poils de sa moustache. Les mots de « petite fortune » le flattaient, malgré qu'il en eût; mais il affectait pourtant de protester en bougonnant :

— Ma fortune! répétait-il. Mais non, je n'ai pas de fortune.

Joseph appliqua sur le bois de la table une main ferme et musculeuse :

— A partir d'une certaine somme, on ne peut plus parler d'économies, il faut, quoi que tu en penses, employer le mot de fortune. Tu possèdes, à l'heure actuelle, trente-deux mille francs...

— Comment le sais-tu?

— Je me demande plutôt comment je pourrais ne pas le savoir.

— Je ne t'en ai jamais parlé.

— Tu ne parles que de ça. Seulement, tu ne t'en rends pas compte. Trente-deux mille francs, c'est une fortune, j'ai le regret de te l'affirmer. Et j'ajoute, avec un égal regret, une fortune mal employée. Si je mets à part cette somme de cinq mille francs...

— Que je t'ai prêtée en 1908...

— Pardon, que tu m'as confiée. Que veut dire le mot anglais *trust*? Le mot *trust* signifie confiance. Je n'ai pas besoin de m'expliquer davantage. Quant à tes fameux cinq mille francs, tu me feras l'amitié de croire que je n'ai pas besoin de cinq mille francs.

— Mais, dit timidement Ferdinand, il me semble qu'à ce moment-là tu disais en avoir besoin.

— Tu m'étonnes, mon ami. Tu n'as pas très bonne mémoire. Méfie-toi : la mémoire, c'est le secret du succès. Les Juifs le savent bien. Pour eux, la mémoire est la vertu cardinale. Et, chose curieuse à dire, les gens qui, avec les Juifs, font le plus grand cas de la mémoire, eh bien! ce sont les jésuites. Réfléchis une seconde...

Ferdinand n'écoutait pas cette intéressante remarque. Il essuyait avec embarras le verre de ses binocles, puis il dit, non sans hésitation :

— Alors, à ton avis, comment devrais-je employer ce que je possède?

Joseph ouvrit le dossier qui se trouvait devant lui.

— Mon vieux Ferdi, dépêchons-nous. Je n'ai pas dix minutes à perdre. Mais je peux quand même trouver deux ou trois minutes, si tu veux bien ne pas tourner indéfiniment autour du pot. Ces cinq mille francs mis à part, il te reste donc à peu près vingt-sept mille francs dont je préfère ne pas savoir ce que tu fais présentement.

— Je t'affirme que c'est très sage.

— Oui, oui, sage, tu as dit le mot : caisse d'épargne, caisse de prévoyance, etc., etc. Pour les gens de ton espèce, pour les gens de la catégorie B, comme je les nomme dans mes fiches...

— Pourquoi B ?

— Laisse-moi continuer. Pour les gens de ton espèce, la méthode, à mon avis, est déjà celle des fortunes moyennes. Un dixième en fonds d'Etat français ou garantis par le gouvernement français. Un autre dixième en valeurs françaises à revenu fixe. Deux dixièmes et demi en actions françaises de premier ordre...

— Mais comment savoir qu'elles sont de premier ordre ?

— Mon cher, ça, c'est mon métier. J'ai l'honneur de te répéter que le mot *trust* signifie confiance. Je continue : deux dixièmes et demi en actions ou obligations étrangères de premier ordre.

— Mais...

— Quoi ?

— Non, rien. Je te demande pardon.

— Tâche de ne pas m'interrompre. Deux dixièmes en hypothèques. Je te ferai remarquer que, pour cela, ton magot est encore un peu jeune; mais il devrait grossir assez vite. Alors, les hypothèques, de préférence au nombre de deux, et sur des immeubles de rapport situés dans deux régions différentes. Tu n'as pas l'air de comprendre, mais tu y réfléchiras à tête reposée et tu verras que j'ai raison. Et maintenant, ce n'est pas tout. Il me paraît avantageux, pour un capitaliste de la catégorie B, de consacrer les revenus annuels, faudrait-il y rajouter quelque chose, à souscrire une assurance sur la vie, une assurance mixte, d'une durée à fixer. Si tu ne meurs pas trop tôt, à l'âge de 66 ans, par exemple, tu récupères, je suppose, une somme de cent mille francs...

— Attends une seconde.

— Oui.

— En me soignant bien, je peux vivre, sans doute, plus de soixante-six ans. Tu sais, c'est l'avis de papa et c'est aussi l'avis de Laurent, qui connaissent bien ma santé.

— En ce cas, mon ami, tant mieux. Si tu meurs plus tôt, ce qui serait très fâcheux, la personne désignée — je pense que ce serait ta femme — recevrait tout de suite cent mille francs. Et je peux t'affirmer que cette somme sera versée. Je serai là et j'aurai l'œil.

— Tu seras là... Tu penses sérieusement que je mourrai avant toi?

— Ce n'est pas sûr, fit Joseph, mais c'est quand même probable. Et maintenant, mon petit Ferdi, la consultation est donnée.

— Et si, dit Ferdinand pensif, et si je te les confiais...

8

— Quoi donc?

— Mes économies.

— Mon ami, ça ne prend plus. Plusieurs fois déjà tu m'as dit que tu me donnerais ton argent pour le faire fructifier, et tu t'es défilé toujours. Ne dis pas non, tu as eu peur. Alors, maintenant, c'est fini. Je ne te ferai plus jamais la moindre proposition.

— Ecoute, murmura Ferdinand avec un regard suppliant. Tu peux me jurer, Joseph, sur la tête de notre mère...

Joseph se leva tout d'une pièce et mit solennellement le doigt sur la boutonnière de sa veste où rougeoyait la rosette de la Légion d'honneur.

— Ferdi, fit-il sévèrement. Pas un mot de plus. Tu m'as compris.

Ferdinand baissa la tête et reprit d'une voix plaintive :

— Je t'apporterai le tout, mardi de la semaine prochaine. Cela fera vingt-sept mille six cents. Plus cinq mille que tu as déjà.

— Je vois : trente-deux mille six cents.

— Ensuite, soupira Ferdinand, pour les quatre cent huit francs que tu dois me donner...

— C'est tout à fait inutile, trancha Joseph Pasquier, de gaspiller des frais de timbre. Puisque tu places le tout, laisse-moi les quatre cent huit francs.

— Et si j'avais besoin d'argent?

— Oh! dit Joseph avec un geste accommodant, je te prêterais quelque chose.

— Je pense, reprit Ferdinand, que tout cela va

te causer un peu de tracas, pour trouver des placements exceptionnels.

— Mais non, pas plus de tracas qu'il ne faut. Toute la petite cuisine sera fricotée, sous mon contrôle, bien entendu, par M. Mairesse-Miral, que tu connais depuis douze ans. C'est lui qui s'occupera des courses.

— Sera-t-il nécessaire, le moment venu, que je le remercie, que je lui fasse un cadeau?

Joseph Pasquier écarta les bras du corps, dans un geste ennuyé.

— Méfie-toi des cadeaux. Moi, je n'en fais plus, et pour cause. Autrefois, j'en faisais beaucoup. Si, si, je t'assure, j'adorais faire des cadeaux. Malheureusement, les gens n'étaient jamais contents : je leur offrais des bonbons et ils auraient préféré des fleurs. Je leur donnais des cigares et ils n'aimaient pas le tabac. Alors, bernique, c'est fini. Plus de cadeaux. Si tu t'avises d'en faire, tu mets ceux qui n'en font pas dans une situation délicate. N'en parlons plus; ne me gâte pas mon personnel.

Comme Ferdinand, convaincu, se repliait vers la porte, il ajouta, non sans hésitation :

— Dis-moi, Joseph, cette méthode...

— Quelle méthode?

— Ta méthode de placement, est-ce que tu l'emploies pour toi?

— Oh! moi, moi, répliqua Joseph, c'est tout à fait différent.

— Tu n'es probablement pas dans la catégorie B.

Joseph secoua la tête.

— Non, dit-il. Moi, pour l'instant, c'est la catégorie R.

— Diable! diable! grommelait Ferdinand.

— Mais oui, mon cher, c'est comme ça. Une minute encore, veux-tu? Ne fronce pas les sourcils : il ne s'agit ni de toi, ni de ton argent. Vas-tu souvent chez Cécile?

— Nous y allons dîner à peu près une fois par mois.

— Oui... Je peux bien t'avouer que Cécile m'inquiète. M. Fauvet a fait ce qu'on appelle une excellente opération. Son traitement n'équivaut pas au tiers de leurs dépenses communes : j'ai des renseignements très sûrs, tu peux me croire. Ce que je dois te dire d'une manière tout à fait confidentielle, c'est que Cécile ne place plus d'argent, ce qui est, à mes yeux, un symptôme détestable. Ce Richard est très dépensier. Je n'irai pas jusqu'à prétendre qu'il se fait entretenir, mais il y a quand même de ça. Le ménage gaspille donc beaucoup et Cécile gagne moins qu'elle ne gagnait autrefois. L'état d'âme n'y est plus : elle s'occupe de son enfant. C'est assez naturel, mais sa vie d'artiste en souffre. Dans les milieux musicaux, tu sais ce qu'on dit : artiste mariée, artiste perdue. Ah! ce serait épouvantable!

— Et alors? dit Ferdinand. Vas-tu parler à Cécile?

— Pour rien au monde. Seulement, il me semble nécessaire de prévenir la famille. On dira ce qu'on voudra, moi, j'ai l'esprit de famille. Allons, au revoir, à mardi! Toutes mes amitiés pour Claire.

Ferdinand congédié, Joseph Pasquier sonna pour appeler le domestique.

— J'espère que Mairesse est là, dit-il, avec la personne que j'attends. Faites-les monter tous les deux.

Ce fut, quelques secondes plus tard, M. Mairesse-Miral tout seul qui pénétra dans la pièce.

— Navré, disait-il, navré, monsieur. Mais Gaston Délia se fait attendre un peu.

Joseph Pasquier fonça droit sur le vieil homme, tête basse, tel un bélier.

— Vous avez les balles? Montrez-moi d'abord les balles.

M. Mairesse tira délicatement de sa poche un très petit paquet enveloppé de papier de soie. Il commença de le déplier, lentement, de ses doigts gras aux mouvements non dépourvus d'une certaine délicatesse. Il en tira, pour finir, cinq petits objets de métal qu'il aligna posément dans la paume de Joseph.

— Tiens, tiens! murmurait M. Pasquier, ce n'est pas plus compliqué que ça?

— Oh! monsieur, fit Mairesse-Miral d'une voix onctueuse, vous n'imaginez pas, je pense, une réserve de coton-poudre, avec un détonateur, un système d'horlogerie et tout un bataclan. Mais non, c'est beaucoup plus simple. Il s'agit de fendre la chemise de maillechort dans sa longueur ou même d'en couper la pointe. Voyez ici les deux types. Que le projectile rencontre un obstacle, qu'il atteigne, par exemple, un corps humain, et tout aussitôt le plomb contenu dans l'intérieur, et dont la densité est supérieure à celle de l'enveloppe, jaillit par les ouvertures. La balle aussitôt se déforme et fait dans les chairs du sujet des ravages extraordinaires. L'orifice d'entrée est gros comme une tête d'épingle, l'orifice de sortie plus large que les deux mains...

Joseph Pasquier tournait à grands pas dans l'espace libre de la pièce. Il avait l'air d'un fauve piégé, d'un possédé, d'un malade.

— J'ai vu Moutkourof, grondait-il. Cet animal ne m'a parlé que de la pièce de Lavedan. Pas un mot de la commande. Il y a de quoi devenir enragé, avec ces satanés Balkaniques. Alors, je vais les chatouiller, un peu plus fort, au bon endroit. Ou bien ils finiront par céder et j'attraperai la commande, — car l'armistice sera rompu, les Balkaniques ouvrent la bouche trop grande : les Turcs ne marcheront pas. — Ou bien ils continueront avec la firme anglaise, et je leur aurai donné pas mal de fil à retordre. Dites-moi : pas d'erreur possible, les balles que vous avez là sont bien du modèle english? Oui. Et qui les a tailladées?

— C'est un de mes bons amis, un serrurier de la plaine Saint-Denis.

— Vous êtes sûr de ce gaillard-là?

— Parfaitement sûr. Un socialiste antimilitariste. Il sait, sans grand détail, du moins c'est ce que je lui ai dit, qu'il s'agit d'humanité, que le but de toute l'histoire est de punir la barbarie.

— Oui, oui, oui, oui, murmurait Joseph, l'œil nuageux. Vous allez faire entrer le journaliste. Atten...dez...

— Vous savez, monsieur, qu'il a demandé quatre cents francs et que j'ai dû les lui donner.

— Pas étonnant. Il a flairé la galette. C'est votre faute, Mairesse. On ne peut pas compter sur vous. Ah! un mot encore, Mairesse. Mon frère Laurent m'a parlé des balles explosives. Pourquoi justement à moi? Vous trouvez cela naturel?

— Parfaitement naturel, monsieur. Tout le monde en parle, à Paris. M. Fauvet, votre beau-frère, a fait un article très dur pour éreinter Chérouvier.

— Ça, rugit sourdement Joseph, M. Fauvet ferait beaucoup mieux de s'occuper de ses affaires.

— Tout le monde en parle, reprit M. Mairesse-Miral avec un sourire de jubilation. Un manifeste à tout casser, signé par plus de cent cinquante savants, hommes de lettres, professeurs, artistes, etc., etc. Oh! c'est du travail de premier ordre. Et que disait M. Laurent?

— Des choses qui pourront servir si cet idiot de Moutkourof se décide un jour ou l'autre à me passer la commande. Allons! qu'est-ce que vous faites-là? Filez!

Quelques secondes plus tard, M. Gaston Délia fit son entrée chez Joseph. Il portait un vêtement neuf. Ses cheveux, plaqués sur le crâne, exhalaient un délicat parfum de brillantine. Il clignait encore des yeux, non plus comme un homme ébloui par une lumière trop vive, mais comme un rusé partenaire qui dissimule de son mieux diverses raisons de sourire. Joseph lui saisit les mains et les secoua longuement.

— On peut le dire, gloussait-il, on peut le dire que vous avez du talent. Et pour le succès, avouez que cela dépasse toutes les espérances. Pensez,

monsieur Délia, plus de cent cinquante hommes
de génie qui vous emboîtent le pas. Toute l'université! Toute la société littéraire ou scientifique.

— Exception faite pourtant, fit le visiteur avec
un sourire navré, du groupe Moncélien qui est,
me dit-on, dirigé par votre beau-frère.

— Dans une affaire aussi grave, déclara Joseph
Pasquier, les liens de la parenté n'ont aucune
importance. Si Richard Fauvet se trompe, s'il ba-
foue les lois sacrées de l'humanité et les défenseurs
de ces lois, Richard Fauvet n'est plus pour moi
qu'un étranger et nous n'avons plus, ni vous ni
moi, la moindre raison de le ménager. S'il faut
frapper, frappons donc. Et maintenant, monsieur
Délia, je vous ai fait venir pour vous parler d'une
intéressante nouvelle. Asseyez-vous une minute.
Le Comité des Amis de la Turquie, actuellement
en voie de formation, et dont nous espérons bien
proposer la présidence à M. Pierre Loti, de l'Académie française, vient d'être informé que certains
fantassins balkaniques ont effectivement fait usage
de balles explosives. Le gouvernement bulgare n'y
est pour rien, il va sans dire. On a découvert que
des soldats isolés entaillaient les projectiles du modèle réglementaire, soit à l'extrémité, soit longi-
tudinalement, ce qui est possible en raison de la
mauvaise qualité du maillechort anglais. Il ne faut
pas dire « anglais », mais il faut que ça se comprenne. Vous n'ignorez d'ailleurs pas que, pendant
les événements du Transvaal, les Britanniques
avaient justement la réputation d'employer des
projectiles ayant subi cette préparation. Le résultat
est lamentable. Dès que la balle heurte un obstacle,

le plomb sort par les entailles et se répand dans les chairs en tournoyant et en giclant. Les quelques projectiles que vous pouvez voir ici, sur la table, ont été saisis sur des prisonniers bulgares que les Turcs, il va sans dire, ont immédiatement passés par les armes. En somme, par sa négligence, l'état-major bulgare favorise, chez ses troupiers, l'épanouissement des instincts les plus sauvages. Vous le voyez, voilà qui ne laisse pas d'infirmer un peu les dernières informations dont vous avez fait un si brillant usage. Il y a lieu de publier un article à grand orchestre en donnant la photographie des balles ainsi préparées et qui nous sont communiquées par les soins de l'état-major turc. Malheureusement, il vous est assez difficile de faire ce nouvel article, après le bruit soulevé par votre intervention dans *le Miroir Universel*. J'ai pensé qu'un de vos amis…

M. Gaston Délia cessa de cligner les paupières.

— Oh! dit-il avec décision, l'article peut paraître après-demain dans le *Télégramme*. Il sera signé Rodrigue Lauer.

Joseph Pasquier fit un signe de tête et poursuivit aussitôt, d'un air songeur :

— Allons par ordre, mon cher. Premièrement, le lieu : *Télégramme*. Deuxièmement, la date : après-demain. Troisièmement : Rodrigue Lauer. Quatrièmement : la photo. Vous rendrez les balles à Mairesse dès qu'on aura pris le cliché. Cinquièmement : le titre. Voici ce que je vous propose : *Du nouveau dans le drame des balles explosives*. J'avais pensé d'abord *dans la tragédie,* mais il faut garder le mot pour une occasion plus forte. Il y

a un sixièmement : que M. Noël Chérouvier soit
couvert de fleurs. Il n'y en aura jamais trop. Penser que des gens de cette envergure sont nos contemporains et même nos compatriotes, ça me
donne un coup au cœur. Alors, allez-y franchement, parlez de la charité, de l'honneur, de la
noblesse des armes. Tâchez de trouver, pour finir,
une petite phrase en latin. Je n'y connais pas grand'
chose; mais je suis sûr que, pour les trucs de cette
espèce, il existe toujours un boniment en latin.

CHAPITRE XIII

RÉVEIL DE RICHARD FAUVET. RÉFLEXIONS SUR LA VIE
MONDAINE. OPINIONS SUR LES HOMMES DE LABORA-
TOIRE. UN GRAND MUSICIEN MÉCONNU. A PROPOS DES
ÁMOURS DE GOETHE.

Vers huit heures, un rayon de lumière blême,
ayant franchi tous les obstacles, venait enfin tourmenter l'âme du dormeur. Richard Fauvet s'éveillait en réprimant un soupir. Et, tout de suite, il
se posait la question de chaque matin : « Qu'est-ce
qu'il y a qui ne va pas? Que m'a-t-on fait de si
désagréable hier? Qu'est-ce qui me pique? Qu'est-
ce qui me gêne? »

Il se tournait et se retournait dans une torpeur
somnolente en dénombrant toutes ses raisons de
mécontentement ou d'amertume. Il avait des
réveils inquiets. C'était le seul moment du jour
où il ressentait avec une impitoyable lucidité la
sécheresse de sa nature. Dessaisi de ses sophismes
protecteurs, dépourvu comme un crustacé pendant
les instants de la mue, il était alors à plaindre et
se considérait en secret avec une compassion sincère.

A peine le pied hors du lit, il commençait de se

conciliante. Si je déteste le monde, c'est d'abord
que je ne m'y amuse pas.

— Chère Cécile, il ne s'agit pas de s'amuser,
mais de s'instruire.

— Justement, je n'y apprends rien. A part
quelques méchancetés qui sont parfois amusantes
une seconde, au moins pour les spécialistes, tout
ce que j'entends là n'a vraiment aucun rapport
avec la vie, la vraie vie des âmes vivantes. Et puis,
Richard, comment vous dire? j'ai presque de
l'horreur pour les nourritures qu'on me donne
dans toutes les maisons de ces gens. Je déteste le
filet de sole en sauce et pourtant j'aime bien la
sole quand je la mange à la maison comme on la
préparait chez mes parents, quand par hasard on
en mangeait. Je déteste le poulet en gelée qu'on
apporte tout préparé de chez le restaurateur. Tous
ces plats sont aussi loin de la vie que les propos
des convives. On se penche, alternativement, vers
son voisin de droite, puis vers son voisin de
gauche, cinq minutes d'un côté, cinq minutes de
l'autre. On dit, presque fatalement, des choses
que l'on ne pense pas, ou l'on écoute avec un
sourire en bois les boniments d'un monsieur
célèbre qui joue sa scène favorite, comme un acteur
de music-hall, et qui n'est venu que pour ça. Mais
je ne trouverai pas drôle que vous alliez chez
Mme Gratz. Moi, j'aurai la migraine.

— Non, non, sifflait Richard, les traits soudain
contractés. Vous savez bien, Cécile, ce que cette
invitation signifie. Ce que veulent voir ces gens, ce
n'est probablement pas moi qu'ils ne connaissent
pas encore, c'est le mouton à cinq pattes. Oh! le

plus délicieux, Cécile, de tous les moutons à cinq pattes !

Un léger silence tombait. L'éternelle querelle allait reprendre flamme, celle que Cécile entre toutes autres redoutait. Elle disait précipitamment :

— Nous irons chez Mme Gratz.

— Allons, chantonnait le jeune homme, vous aimez vous faire prier. C'est un défaut bien étonnant chez une artiste de votre mérite.

Trois ou quatre fois par semaine, Richard se rendait à la Sorbonne et il y passait alors une grande partie de la journée. Il était assez peu bavard en tout ce qui pouvait toucher ses fonctions universitaires et il se lamentait seulement, par des propos allusifs, sur la nécessité fâcheuse où peuvent se trouver parfois les serviteurs de l'intelligence d'avoir à gagner leur vie comme les autres mortels. Lui parlait-on de ses collègues, il se prenait à rire. « Tous des gens bien remarquables, disait-il en levant l'index. Chacun d'entre eux n'a qu'une pensée : avoir vu le premier les phénomènes intéressants, avoir ouvert la bouche le premier, avoir fait la première communication, se présenter le premier aux portes de l'avenir. Ce qui domine toute la société scientifique, c'est cette fièvre de priorité. Alors, ces messieurs parlent, parlent. Ils n'écoutent jamais rien ni personne...

Richard ajoutait avec une conviction manifeste : « Je suis peut-être le seul à ne jamais parler de moi. C'est une affaire de discipline intellectuelle. »

— Vous n'aimez pas vos confrères, vous ne les estimez donc pas ? lui demanda Cécile un jour.

— Vous vous trompez, chérie. C'est précisément parce que je les aime, ces braves gens, c'est précisément parce que je les estime que je voudrais qu'ils fussent moins vaniteux et moins bêtes.

Pour montrer sans plus attendre sa parfaite ouverture de cœur, Fauvet se répandait alors en éloges hyperboliques sur ceux qu'il nommait ses élèves, sur les philosophes du Parc, sur le petit clan moncélien, sur les jeunes filles ou jeunes femmes qui participaient fidèlement à ce que l'on appelait déjà les Mystères du *Portique*.

Malgré les agitations d'une vie si chargée de soins, Richard ne laissait pas de porter à la musique un intérêt exigeant. Il était vraiment sensible à la magie des sons, il éprouvait même, pour le talent de Cécile, une admiration sincère, toute empoisonnée d'envie. Il ne s'en cachait guère et disait parfois avec un geste caressant du dos de la main : « Vous êtes, chérie, la seule personne au monde, la seule, vous m'entendez? dont il m'arrive d'envier les dons et même la destinée. » Il ajoutait en secouant pensivement la tête : « Ce n'est pas un petit éloge, Athéna... »

Il avait, pendant leurs courtes fiançailles et dans les commencements de leur union, rêvé de remodeler Cécile, de l'assujettir à ses songeries d'intellectuel inquiet, d'en faire, en même temps, son disciple, son truchement, sa messagère. A mesurer, avec le temps, le peu d'empire qu'il avait pris sur la jeune femme, à sentir cette âme rebelle rejeter sans cesse le joug, il avait éprouvé, il éprouvait encore beaucoup plus que du dépit, peut-être une vraie souffrance. Il cherchait à s'en consoler. Il cherchait même l'occasion de quelque subtile revanche. Il avait une bonne mémoire et disposait adroitement de quelque érudition. Il écoutait parfois Cécile jouer, dans un cercle d'amis, telle page de Hændel, de Bach ou de Mozart, et il disait alors en hochant la tête :

— C'est très beau, chérie, et nous vous remercions à genoux, comme il convient. Je ne vous ferai qu'un reproche. Vous rendez toujours hommage aux mêmes dieux. Méfiez-vous : ils ne sont pas inusables. Toujours Bach! Toujours Couperin! Toujours le même Hændel. C'est à croire que l'humanité n'est pas capable de varier sa nourriture. Vous êtes la première pianiste et claveciniste du siècle, tout le monde s'accorde à le reconnaître. Mais vous ne croyez, comme dit Nietzsche, qu'à ce qui fait votre succès. Ne protestez pas, chère, c'est la stricte vérité.

— Oh! je ne proteste pas, disait Cécile imperturbable.

— Vous ne protestez pas, mais vous persévérez dans votre honorable erreur. Pourquoi ne jouez-vous jamais rien, par exemple, du prodigieux Simon de Mahaut? C'est, sans aucun doute possible, le plus grand musicien du monde. Je vous procurerai ses œuvres qui sont, malheureusement, à peu près introuvables. J'irai les copier moi-même à la Nationale, sur le manuscrit.

Simon de Mahaut était, au dire de Richard, un musicien français de la fin du xve siècle. Bien qu'il se trouvât, avouait le jeune homme, complètement inconnu, ce n'en était pas moins un génie extra-

ordinaire qui laissait loin derrière lui Bach, Mozart
et Beethoven.

Cécile fermait le clavecin et Richard parlait
longuement de Maître Simon de Mahaut. Entre
deux suffocations, Richard citait des thèmes en les
chantonnant de sa voix juste, un peu grêle. Il lui
arrivait parfois de découvrir le clavier pour donner,
d'un seul doigt, une légère démonstration. Cela
n'allait jamais très loin : l'œuvre de Simon de
Mahaut, bien qu'elle fût considérable, était à l'état
de grimoire. Mais qu'elle vînt à être connue et la
hiérarchie des gloires en serait bouleversée.
Richard, de phrase en phrase, improvisait alors ce
qu'il appelait une glose. Il aimait assez la musique
pour en parler sans lourdeur, sinon sans imperti-
nence. Il disait : « On ne se fait pas entendre au
moyen de l'instrument, mais avec la force d'âme.
L'instrument est secondaire, encore qu'il soit de
grand sens. Ce qui compte avant tout, c'est
l'ardente volonté d'être entendu, d'être compris. »
Pour peu que l'assistance ouvrît une oreille docile,
Fauvet conservait le crachoir. « La musique,
disait-il, avec un geste de lassitude exquise, la
musique, c'est un secret. C'est une minute, une
seconde où, par miracle, nous entrevoyons le ciel.
Le reste n'est que remplissage. Oh! ne dites pas le
contraire : il y a des déchets dans les plus grands
musiciens comme dans les plus grands poètes.
Mais l'élixir véritable ne nous est donné qu'au
compte-gouttes. »

Cécile écoutait ses spécieuses divagations avec un
sourire céleste. La compagnie dispersée, Fauvet
venait vers Cécile et la prenait par le col : « Vous

êtes intimidante, Athéna! Si, si, vous le savez bien :
vous n'avez que du génie. C'est une vertu terrible
pour ceux qui vous environnent. Ils ne peuvent
quand même point passer leur vie à genoux. »

Et comme Cécile, d'un doigt léger, dénouait peu
à peu l'étreinte, le jeune homme ajoutait, l'accent
méditatif : « Gœthe n'a jamais aimé que des sottes.
Il faut croire que le vieux bougre savait à quoi s'en
tenir et qu'il avait ses raisons. Nous sommes loin
de compte, chérie. »

CHAPITRE XIV

Il arrive, au long de la longue journée, que
Cécile, furtivement, se trouve seule : le petit enfant
est au parc avec Félicienne, Richard est aux soins
de sa gloire, les élèves ont pris l'essor. La maison
est presque vide. Cécile, depuis un grand moment,
a cessé de chantonner cette mélodie insensible qui
est, tout bas, tout bas, la musique de sa vie. Alors
la jeune femme prête l'oreille; elle semble prendre
un instant mesure de la solitude. Et voilà qu'elle
se met à parler toute seule et c'est comme si les
paroles débordaient soudain de son cœur : « Vous
que je n'ose même pas nommer, permettez-moi de
penser à quelque chose, à quelqu'un qui ne fera
pas défaut. Naguère encore, je vous parlais debout
avec impatience. Je me suis mise à genoux pour
vous attendre et vous m'avez aperçue, j'en suis certaine maintenant. Dès que je prête l'oreille, dans
le silence de la nuit, j'entends le bruit des ailes, je

sens la fraîcheur et le vent des ailes sur ma joue. Même si vous m'aviez donné un de ces compagnons qui font oublier les rêves, j'aurais appelé vers vous parce que l'heure a sonné. Croyez, je vous en prie, croyez que je ne viens pas seulement parce que je suis malheureuse. Non, non! J'aurais trop grand'-honte. Je ne suis pas très malheureuse. J'ai trente ans. Je n'ai que trente ans. Il me reste une longue vie pour apprendre à vous connaître. »

Cécile pousse un soupir et voilà qu'elle parle encore, mais d'une voix presque insensible : « Seigneur, pardonnez-moi, je n'aime pas l'intelligence. »

On entend une porte battre dans les profondeurs de la maison. Cécile écarte les mains, comme pour briser l'enchantement. Et la voilà qui s'envole, mince, longue, brûlée d'une flamme secrète, la voilà qui s'envole à tous les devoirs de la vie.

Richard Fauvet est, depuis peu, saisi de fureur ambitieuse. On l'a vivement sollicité, non certes d'abandonner son *Portique*, mais de donner, en signe d'alliance, quelque écrit à la *Nouvelle Revue Française*. Il vient donc d'y publier un petit pamphlet contre Bergson, pamphlet qu'il mijotait depuis des mois et qui est intitulé : *Onésime, ou le manuel du parfait anti-intellectualiste*. L'article, repris en brochure, a rencontré l'accueil le plus flatteur. C'est ce qu'on appelle un succès. Fauvet reçoit des lettres, jusqu'à huit ou dix par jour, ce qui, dans ses propos, se traduit par « des centaines ». Les journaux donnent de la voix. Une rumeur de renommée se propage dans les cénacles.

On parle avec éloge de ce jeune philosophe qui est, d'ailleurs, un savant. Richard reçoit beaucoup de papier et s'en déclare excédé. Il se plaint à Cécile et lui demande assistance. Cécile est soulevée d'une passion de dévouement. Elle fait de sincères efforts pour jouer les secrétaires. Elle recopie des brouillons, elle répond aux lettres dont Richard se déclare assailli. Les correspondants, aussitôt, se retournent vers Cécile. C'est bientôt Cécile qui reçoit le plus grand nombre de lettres. Richard n'ose rien dire, mais il est un peu vexé. Il y a, d'ailleurs, dans le visage de Richard, dans la disposition naturelle des traits de Richard, quelque chose d'indéfinissable et qui semble traduire une perpétuelle vexation. Il dit : « Vous êtes bonne, chérie. Je vous dis mille fois merci. Mais je vais vous délivrer de toutes ces menues corvées. »

Là-dessus, Richard apprend qu'un chroniqueur peu connu a publié, sur la fameuse petite brochure, un article très sévère, presque discourtois. Voilà, d'un seul coup, tous les éloges oubliés. Il est clair que Richard ne peut souffrir la moindre censure. Il dit, les traits douloureux, à ses amis du *Portique:* « Vous n'imaginerez jamais ce que je peux être insulté. C'est un mascaret de boue! »

Sur ces entrefaites, le bruit retombe et s'éteint. Le public lettré commence à se désintéresser d'*Onésime* et de Richard pour suivre une autre marotte. La source d'éloges tarit et tarit, en même temps, le ruisselet de critiques. Richard devient amer : « Paris est odieux, maugrée-t-il. On est tout de suite oublié... »

Cécile, qui connaît de longtemps le phénomène,

tâche à verser un peu de baume sur des plaies si chatouilleuses.

— Mais non, dit-elle, je vous assure que vous avez marqué des points. C'est un très beau résultat.

Richard secoue la tête d'un air maussade :

— N'essayez pas de me bercer. Je juge l'événement sans la moindre passion. Dès qu'on ne monte plus, Athéna, on commence de descendre.

Cécile fait un effort loyal pour se persuader, en secret, que ce n'est pas le propos d'une âme vulgaire. Richard, déjà, cherche à renouer la querelle favorite :

— Pour vous, les musiciens, dit-il, ce n'est pas là même chose. Le succès vient très vite. Ce n'est pas vous, chérie, qui pouvez dire le contraire. Vous n'avez qu'à poser les mains sur le clavier et votre public se pâme, il roucoule, il soupire. Et dès que vous avez fini, ce sont des applaudissements à décrocher les lustres, et vous ne pouvez même pas vous en aller en paix. Il faut revenir saluer dix fois, douze fois et même davantage. Un succès mérité, chérie, je suis bien d'accord; mais quand même un peu scandaleux quand on songe aux autres formes du mérite. Nous autres, savants ou philosophes, qui s'occupe de nous? Qui nous lit? Qui nous aime? Le moindre assentiment nous demande un effort exhaustif. Ah! nous ne sommes point gâtés. Et pourtant... pourtant...

Cécile répond avec une douceur dont elle est surprise elle-même :

— J'abandonnerais bien tout cela, je vous

assure, Richard, s'il était en mon pouvoir de vous en faire profiter.

Richard frappe le sol du pied.

— Mais non. Vous détournez la question. Nous demandons notre dû. Nous ne demandons pas l'aumône.

Les jours passent et, soudain, voici une nouvelle imprévue. L'Académie des Sciences vient de décerner à Vuillaume le prix Fanny-Emden. C'est une fondation récente et dont on a beaucoup parlé dans les milieux scientifiques. Ce prix doit récompenser le meilleur travail traitant des influences psychologiques sur l'organisme des êtres vivants. Fauvet avait fait acte de candidature, officiellement, avec sa thèse. Et voilà que le prix est donné à cet animal...

Vuillaume est, pour Richard, un ami de huit ou dix ans. Vuillaume fait partie du *Portique*. Il assiste aux réunions, il collabore à la revue. Il n'a pas même pris la peine de parler à Fauvet de cette candidature qui se trouve, qui s'est trouvée devenir un acte de rivalité. Richard souhaitait justement d'obtenir ce prix pour alimenter la revue dont l'impression est coûteuse. Richard est parfaitement sûr que son travail personnel « sur la sensibilité des organismes élémentaires aux vibrations musicales » est évidemment supérieur aux petits essais de Vuillaume, esprit timide, esprit circonspect.

Richard Fauvet fait de louables efforts pour oublier cette disgrâce qui est, peut-être, une offense. Il espère qu'une longue nuit lui rendra la sérénité. C'est malheureusement tout le contraire.

On dirait que la chaleur du lit envenime cette douleur et finit par l'exaspérer. « Vuillaume est un
faux camarade. Il sourit, d'un air débonnaire;
mais il prépare sournoisement des coups de sa
façon. Le pire, c'est qu'il faut malgré tout écrire à
ce discourtois concurrent, faire contre mauvaise
fortune bon cœur, féliciter l'adversaire. Ça, c'est
quand même excessif. »

Richard s'agite dans la moiteur du lit. S'il ne
s'endort pas au plus vite, il va sûrement souffrir
d'un accès de suffocation. Le jeune homme se lève
et cherche un comprimé de véronal. Il n'en faut
pas moins pour assoupir jusqu'au jour toutes les
douleurs de l'envie.

A force de contention, Richard dissimule à
Cécile la nature et la raison de son supplice. Vague-
ment, Cécile devine qu'il se passe quelque chose,
que les bêtes de l'ombre s'agitent dans le fond de
leur fosse.

Richard, tout compte fait, n'écrira pas à Vuillaume. Il le félicitera de vive voix à la prochaine
occasion. Et, quand l'occasion se présente, Richard
dit, non sans effort, en pinçant très fort le bec :
« Vous ne nous aviez rien dit de votre candidature.
Vous êtes un peu cachottier. Mes compliments. »

Vuillaume sent, de manière obscure, que ces
paroles ont un goût de cendre et qu'il vient sans
doute de perdre une amitié qui lui plaisait.

Richard sait bien que la cicatrisation de cette
plaie dérisoire va demander plusieurs jours et qu'il
suffit de patienter. La chose est difficile. Tout semble se concerter pour irriter l'homme sensible. Il
s'est fait à la main gauche une coupure peu pro-

fonde. Cette coupure est située dans l'intervalle de
deux doigts. C'est un endroit peu exposé, semble-
t-il. Richard a d'abord pensé que cette petite blessure ne le gênerait pas beaucoup. Quelle erreur! Il
comprend dès le début que nul point du corps ne
jouit de privilèges particuliers. La malheureuse
coupure semble intéressée dans tous les gestes et
presque dans toutes les pensées. Même l'histoire de
Vuillaume fait resaigner cette écorchure. Tout est
douleur, tout est prétexte à douleur.

Cécile observe Richard avec une sincère sollicitude. Richard voudrait pouvoir rendre Cécile res-
ponsable de cette petite blessure. C'est malheureusement impossible, même en cherchant bien. Nouveau sujet de colère.

Cécile apprend de bon cœur le métier d'infirmière. Ses mains, les nobles mains que Cécile
autrefois portait comme on porte des reliques aux
jours de procession, Cécile ne craint plus de les
risquer dans le tourbillon de la vie. Richard pense
avec raison que toute cette malheureuse « histoire-
Vuillaume » va sans doute se terminer par quelque
terrible accès d'asthme. Il soupire :

— Chérie, voulez-vous me préparer des compresses chaudes? Vous, chère Cécile, vous et non
Félicienne. Je déteste cette vieille fille.

Cécile, de tout son courage, s'arrange pour ne
rien entendre. Elle prépare des compresses qui lui
brûlent le bout des doigts.

Richard se lève et recommence de naviguer par
la chambre. Le vent de février s'est arrêté de souffler. Un soleil miséricordieux éblouit le petit jardin.

— La nature est implacable, dit le mélancolique. Ces trois jours de beau temps, nous allons les payer par un terrible retour de l'hiver. Il ne faut jamais s'abandonner aux délices de la confiance.

Et voilà que, tout à coup, Cécile souffre de la grippe. Elle gardera le lit deux jours. Richard n'ose rien dire, mais il est consterné. Est-il possible que Cécile se permette d'être aussi une créature de chair infirme, et non pas un pur esprit?

Toute la maison, pendant deux jours, est orientée vers Cécile. A l'idée que l'on s'occupe forcément moins de lui, Richard éprouve du dépit et ne songe guère à le celer.

Cécile est très vite remise. Rien ne pourra l'empêcher de chercher le devoir et de s'acquitter de la dette. Et même, l'heure venue d'écouter certaines implorations, quand le regard de l'homme se voile de brouillard et que la voix chancelle, Cécile ne résistera point. Parfois, Richard la considère, une seconde, attentivement, et murmure dans un souffle : « Que se passe-t-il, chérie? Il y a des choses de vous, des mouvements, des mots, des refus, des abandons que je ne comprendrai jamais. »

Cécile hoche les épaules pour montrer qu'elle non plus ne se comprend pas toujours. Elle dit, surprenant au vol un regard de son mari :

— Par amitié pour moi, Richard, marquez un peu d'indulgence à ma pauvre Félicienne.

Richard fait un sourire qui lui découvre les canines. Félicienne est la seule personne du clan sur laquelle il n'ait aucune sorte d'empire. Depuis le premier jour, entre les deux époux, couve une sourde chamaille dont Félicienne est l'enjeu.

Richard devine, chez Cécile, une résistance opiniâtre dès que Félicienne est en question. Il tempo-
rise. Il manœuvre. Il siffle, imperceptiblement :

— Vous aimez mieux cette vieille fille que la
paix de votre maison.

Cécile n'a pas l'air d'entendre. Elle se lève et
adjure les puissances du sous-sol : « L'infusion de
Monsieur! Vite, l'infusion de Monsieur! »

L'infusion survient dans un arome de tilleul.
Cécile emplit elle-même la tasse de porcelaine. La
pensée de Cécile s'élève avec la vapeur vers les
régions supérieures. « Seigneur, songe la jeune
femme, ayez la bonté de m'expliquer pourquoi je
n'aime pas l'intelligence. »

CHAPITRE XV

— Avant de venir ici, je suis allé saluer M. Chalgrin. Tu sais? Mon ancien patron.

Cécile, de la tête, fit un signe amical. Déjà Laurent repartait :

— Je vais lui rendre une visite une fois par mois,
à peu près. C'est terrible.

— Qu'est-ce qui est terrible? L'état de M. Chalgrin?

— Tout! L'état de M. Chalgrin, d'abord, il va
sans dire. C'était un homme des plus généreusement doués. Et voilà qu'une petite artère s'est rom-
pue, dans sa cervelle. Et c'est fini pour toujours.
Il est assis dans un fauteuil. Il regarde le visiteur
d'un œil encore vivant où l'on croit voir passer
comme un reflet de son regard véritable. Il semble
toujours sur le point de parler. On pourrait croire
qu'il va respirer profondément, ouvrir la bouche

et nous expliquer le monde, comme il faisait autrefois. Mais il ne dit plus qu'un seul mot, il ne sait
plus dire que l'affreux petit mot « Non! » en
secouant la tête d'un air irrité, découragé, dédaigneux. Assurément, c'est triste. Et il y a quelque
chose de plus triste encore.

— Quoi donc, Laurent?

— La première année, je lui rendais visite à peu
près chaque jour. J'avais pris la résolution de n'y
manquer jamais. Jusqu'à la fin, jusqu'à la mort.
M. Chalgrin n'est pas mort. Alors je me suis
arrangé pour y aller deux fois par semaine, puis,
bientôt, une fois seulement, puis une fois tous les
quinze jours et, maintenant, je n'y vais plus qu'une
fois par mois environ. Je pense que si M. Chalgrin
ne meurt pas tout de suite, je finirai peut-être par
n'y plus aller du tout. Ce n'est pas ma faute, je
t'assure. Et c'est précisément ce que je trouve terrible.

Grave, le visage immobile, Cécile écoutait son
frère. Elle était assise au piano. D'instant en instant, elle esquissait une arabesque sonore, invention ou réminiscence, et cela faisait si peu de bruit
que cette musique semblait tracée en filigrane dans
le silence. Laurent sourit de plaisir. C'était une
coutume de leur jeune temps, ces grandes conversations où tous deux communiaient et que la musique escortait en contrepoint avec des grâces illu-
minantes et tutélaires. Chaque fois que le jeune
homme retrouvait ainsi le bel ange musicien, tout
pareil à cette figure séraphique dont on entrevoit
le profil au dernier rang des chanteurs, dans le
retable de Van Eyck, il était saisi d'espoir. Cécile

allait renaître, redevenir elle-même, la fière, l'in-
traitable, la souveraine d'un monde enchanté. A
l'idée que cette créature aérienne qu'il avait toujours adorée, respectée, traitée comme une déesse
pourrait s'enfoncer doucement dans une existence
étouffée, aux côtés d'un maniaque, d'un esprit sec
et sceptique, Laurent s'abandonnait souvent à des
mouvements de fureur. Mais que Cécile, assise
comme autrefois, comme toujours, devant le clavier magique, avec son profil en même temps
sévère et enfantin, voulût bien écouter son frère et
qu'elle se reprît, comme autrefois, à caresser les
cordes pour broder à fils ténus, autour de la pensée
de ce garçon mal commode, pour enluminer leurs
rêves, pour enrichir leur communion, et Laurent
se reprenait à chanter des actions de grâce. Il parlait, il parlait, impatient de tout dire, de célébrer,
de sceller leur alliance fraternelle.

— Oh! reprit-il, un homme, même un grand
homme, dans l'immensité du monde... Ecoute,
sœur...

Cécile écoutait et cependant ses mains voletaient
sur les touches pour en tirer tantôt quelques accords
funèbres, tantôt quelque bondissante mélodie.

— Ecoute, sœur, poursuivit Laurent, écoute
cette phrase de Nietzsche : « La douleur dit : passe
et finis! Mais toute joie veut l'éternité. » Voilà ce
que souhaitent les hommes. Et pourtant, si quelque chose devait survivre de nous, il me semble
que ce ne serait pas notre joie. Notre joie peut dis-
paraître, elle a reçu tout son destin, elle est en soi-
même un accomplissement. Mais toutes les tristesses, toutes les souffrances des hommes, voilà,

sœur, quelque chose qui ne peut s'évanouir à
jamais. Depuis des milliers et des milliers d'années
que les hommes souffrent, que tous les êtres vivants
souffrent, les uns en silence et les autres en criant,
cela forme, ne crois-tu pas? comme un affreux tré-
sor dont on n'imagine pas qu'il pourrait disparaî-
tre sans laisser de trace. L'idée que toute cette douleur ne recevrait pas, un jour, plus tard, allégement et pardon, c'est une idée qui m'épouvante.
Ce n'est pas la joie qui remplit l'espace infini, le
silence éternel, dont parle Blaise Pascal. Non, non,
le monde est plein d'une douleur qui crie, qui
demande, à travers les siècles, justice et réparation.

Laurent reprit haleine. La musique de Cécile ne
s'était point interrompue. Elle disait à merveille,
mieux que les mots impuissants, la joie qui s'éva-
pore et la douleur qui ne veut pas s'enfoncer dans
l'éternité sans avoir connu l'apaisement, la rémission. Mieux que les mots, l'onde mélodieuse cheminait dans le grand désert qui sépare les âmes. Mieux
que les mots, la musique faisait sourdre et durer
des lueurs au fond de l'abîme.

Laurent Pasquier était de taille médiocre. Il se
tenait bien droit, mais il avait le col bref, la tête
assez volumineuse, les épaules musclées, en sorte
que toute son attitude exprimait le repliement, la
résistance, la volonté de méditation. Il rasait depuis
peu sa barbe et sa moustache, montrant sa forte
mâchoire, le cuir à large grain, la bouche
remuante et naïve. Il fronça les sourcils et de gros
plis se formèrent sur son front.

— Sœur, dit-il, j'ai grandi dans les laboratoires
du nouveau siècle. Je ne crois pas à l'immortalité

de l'âme. Et pourtant, je ne peux penser que toute la douleur du monde sera perdue, à jamais.

Un chant tranquille, plein d'espoir, s'élança des mains de Cécile et monta droit vers le ciel comme une fumée de village au soir d'un jour paisible.

— Oh! ne crois pas, poursuivit le garçon, ne crois pas que nous autres, les hommes de la recherche, nous soyons sûrs d'un ordre. Celui qui demande un ordre est certainement très malheureux chez nous. L'an passé, je voyais beaucoup Lehureau qui travaillait non loin de moi, à l'Institut. C'est un spécialiste de la physiologie végétale. Il s'occupait avec prédilection des plantes grimpantes. Quelle confusion! La plupart des plantes grimpantes s'enroulent vers la gauche, en sens inverse des aiguilles d'une montre; mais beaucoup de plantes s'enroulent en sens opposé. Pourquoi? Oui, pourquoi? Chaque espèce a son sens habituel, mais il y a des individus qui font exception. Pourquoi encore? Il y en a qui s'enroulent partie à droite et partie à gauche. Tout cela ne signifie rien à des esprits de notre sorte. Tiens, les vrilles de la vigne... Elles font six tours dans un sens, puis neuf ou dix tours dans l'autre, puis trois tours de nouveau dans le sens de leur début... J'ai cru que Lehureau en deviendrait enragé. Lui, il cherchait un ordre, il voulait trouver une loi. Mais le monde vivant n'a ni sens, ni loi! J'ai travaillé pendant deux ans à côté de Fischer qui s'intéresse aux mollusques. J'espère que je ne t'ennuie pas... Tous les coquillages, au premier abord, sont dextres, c'est-à-dire qu'ils s'enroulent dans le sens des aiguilles d'une montre. Un ordre! Voilà donc un ordre! Eh bien! non, il existe quelques espèces dont la coquille est sénestre. Elle tourne en sens inverse. Je parlais de cela, l'autre jour, à Justin Weill. Il s'est presque moqué de moi. Mes problèmes ne l'intéressent pas. Il ne pense pas que l'on peut être bouleversé parce que le *Bullinus* et le *Physopsis* viennent insulter à l'ordre du monde, à ce qui tout au moins peut passer pour l'ordre du monde.

Laurent se prit à sourire. Cécile n'avait pas cessé de promener ses doigts sur les touches du piano. La jeune femme ne se plaisait point à de puériles imitations, mais elle écoutait si bien, avec une si loyale attention qu'à l'entendre on voyait en rêve s'élancer les plantes et s'accrocher ici et là les vrilles de la vigne folle et s'enrouler finement la coquille du limaçon.

— Il n'y a pas d'ordre! reprit Laurent avec une soudaine rage. Moi qui suis médecin, je sais des choses désespérantes. Tous nos muscles travaillent en contraction et se reposent dans la détente; mais il y en a quelques-uns pour qui c'est tout le contraire. Et ne crois pas que les astronomes soient plus tranquilles dans leur ciel. Je connaissais jadis un élève de Schulhof, un type appelé Boissonnas. Il m'a dit que toutes les planètes du système solaire tournaient dans le même sens, qui n'est pas celui de la montre, mais que la planète Uranus, ainsi que ses satellites, tournent juste en sens opposé. Quand j'ai su cela, j'ai cru, pendant deux ou trois jours, que j'allais me suicider. J'en ai parlé, vers ce temps, à une jeune fille pour laquelle j'éprouvais une certaine sympathie. Elle m'a dit : « Chacun sa vie » et elle m'a tourné le dos. Non! Non!

tu ne sais pas qui c'est. Oh! si je te disais tout...
enfin, tout ce qui m'occupe!

La voix de Laurent faiblit et le jeune homme
commença d'hésiter, de bégayer : Cécile ne le suivait plus. Elle semblait soudain emportée non par
les rêveries de ce frère obstiné, mais par une pensée
tout autre, plus sereine, plus volontaire aussi. Quittant l'improvisation, les détours de la course vagabonde, elle montait maintenant d'un vol calme et
régulier et, tout à coup, retentit un chant tranquille, un chant fervent, la *Cantate de la Pentecôte*.
Chaque note allait d'un pas ferme vers son but.
Toute l'âme de Cécile disait : « Je n'accepte pas
de vivre dans un monde privé de sens. Je ne peux
vivre sans ordre, Laurent. Écoute l'ordre du
monde. »

Vint un moment de silence. Laurent ouvrait et
fermait les mains d'un air soucieux et embarrassé.

— Je comprends, fit-il soudain. N'imagine pas
une seconde que je pourrais ne pas comprendre...
Je sais que nous sommes séparés.

Cécile s'arrêta de jouer.

— Que sais-tu? demanda-t-elle.

Laurent regarda la jeune femme avec une franchise provocante :

— Je sais, reprit-il. J'étais presque sûr... Mais,
un soir, je t'ai suivie...

— Tu n'as pas honte?

— Non, dit Laurent vivement. Je n'ai pas honte
puisque je suis ton frère, puisque je t'aime et que
je veux savoir.

— Tu n'avais qu'à me poser une question, Laurent, j'aurais répondu.

Laurent marchait, de-ci de-là. Cécile se mit à
gronder, l'accent chargé de reproches :

— Laisse-moi donc mener ma vie comme je
crois devoir le faire. Laisse-moi chercher de mon
mieux.

— Impossible, sœur. Ta vie ne t'appartient pas.
Tu as reçu de la nature trop de dons pour en disposer toute seule. Tu appartiens à ceux qui t'aiment.

Et comme la jeune femme venait de lui tourner
le dos, Laurent éleva la voix :

— Quand nous étions encore enfants, je t'appelais l'Envoyée, la Messagère, la Servante des héros,
la Musicienne de l'Olympe...

— Et tu ne m'appelles plus ainsi?

De la tête, Laurent fit « non ». Puis il reprit plus
bas :

— Pourquoi l'as-tu donc épousé?

Cécile fit, de la main, un geste de lassitude.

— Oh! dit-elle, je commence à te connaître. Il
y a longtemps, quand j'ai failli me marier avec
Waldemar Henningsen, tu es devenu presque
enragé. Un jour, je me souviens, tu étais là, derrière moi, pendant que je travaillais au piano. Tu
ne disais rien, mais j'entendais ton âme remuer,
je l'entendais se plaindre.

— Je ne songeais qu'à toi.

— Et plus tard, quand j'ai décidé ce mariage
avec Richard, tu as commencé de manœuvrer dans
l'ombre pour faire échouer le projet. Les gens qui
te connaissent mal pensent que tu es une âme naïve
et amicale, moi je sais que ce n'est pas vrai.

— Et toi, Cécile! On pourrait penser à te voir

que tu es douce et angélique. Mais non, je te connais, tu es violente et terrible.

— Si j'étais vraiment violente, je t'aurais chassé déjà.

Laurent secoua la tête :

— Si tu me dis que tu l'aimes, je ne te croirai pas. Et si je me trouvais un jour dans l'obligation de te croire, je ne sais ce qu'il me faudrait penser de toi.

— Laurent, Laurent, es-tu encore assez humain, es-tu encore assez raisonnable pour te représenter ce que tu fais en ce moment, pour comprendre le rôle absurde que tu t'amuses à jouer?

— Je ne m'amuse pas, dit Laurent avec amertume, et je ne joue pas un rôle.

— Comme tu es jaloux, Laurent!

— Es-tu bien sûre, Cécile, de n'être jamais jalouse?

Les traits de Cécile, les beaux traits purs, tout à coup se durcirent.

— Va-t'en, gémit-elle! Va-t'en!

— Tu es jalouse et orgueilleuse! Tu n'aimes ni ton mari, ni ton mariage, mais il t'est presque insupportable de penser que Cécile a pu se tromper.

— Je te dis que ce n'est pas vrai.

Laurent, soudain calmé, soupira :

— Je sais bien que je suis odieux.

— Hélas! fit encore Cécile. Tu viens ici me torturer. Tu détestes mon mari et... comment te dire mes pensées? tu lui ressembles quand même. Vous avez, malgré tout, pris les mêmes habitudes. Vous êtes formés aux mêmes disciplines. Vous êtes, et

c'est triste, ce qu'on appelle des hommes intelligents. Comment peux-tu trouver étrange que je
désire autre chose?

Cécile jetait sur son frère un regard calme,
apaisé. Elle vit soudain que le menton du jeune
homme tremblait nerveusement comme aux instants d'émotion vive...

— Un jour, dit-il, un jour du temps jadis, j'ai
décidé qu'il fallait qu'une âme fût heureuse, au
moins une, et que ce serait toi. Oui, je voulais
qu'une âme fût heureuse au monde pour démon-
trer, du moins, que le bonheur était possible.

— Je te le dis encore une fois : je ne suis pas
malheureuse.

— Tu vivais parmi nous, mais tu n'étais pas
mêlée à nous. Tu nous versais la musique, tel un
breuvage de vie. Et maintenant, tu es tombée parmi
nous, sur la terre, dans nos tristesses. Eh bien! je te
dirai toujours tout ce que je dois te dire. Tu n'arri-
veras pas à me décourager, à m'éloigner, à me
chasser. Je resterai près de toi malgré toutes les
rebuffades.

— Et moi, fit Cécile doucement, moi, je prierai
pour toi.

— Qu'est-ce que cela veut dire, prier?

— Tu le sais bien, pauvre garçon. Cela ne signifie pas que je vais demander à Dieu qu'il veuille
bien penser à toi comme pourrait le faire maman.
Non, cela signifie, pour moi, que je vais penser à
toi dans la société de mon Dieu, cela signifie que
je vais penser à toi de la façon la plus haute qui
soit en mon pouvoir. Et maintenant, laisse-moi
seule.

CHAPITRE XVI

De minute en minute, avec un geste d'écolier,
Laurent Pasquier remontait la serviette qu'il tenait
contre sa hanche droite, la pesante serviette gon-
flée de papiers et de livres.

Le jeune homme suivait le trottoir. Tête basse,
l'air soucieux, il marchait à pas pressés. Il roulait
dans sa tête toutes sortes de pensées confuses
qu'exaltait encore la chaleur de la course :
« J'expliquerai tout à Cécile. Je lui ferai comprendre que je me trouve sans doute séparé d'elle, puisqu'elle est maintenant croyante, mais que j'ai ma
façon à moi de prier et de souffrir, et que cette
façon est, malgré tout, respectable. Je n'accepte
pas l'idée d'être séparé de Cécile. Que va-t-il donc
me rester? L'amitié de Justin m'est précieuse et
nécessaire; mais il s'irrite de tout. Il devient
ombrageux et inquiet. Moi-même, je manque de
sérénité. Je ne veux pas le laisser voir. Mon âme

151

est une brûlure à vif... Qu'il fait chaud! Quel singulier hiver! Il paraît que les amandiers fleurissent
dans les jardins. Comme je vis loin de la terre...
Quelle heure est-il? Oh! je serai quand même en
avance de cinq minutes. Voilà que l'estomac de
nouveau se contracte et me tiraille. Quatre mois
déjà que je me prive de dîner, simplement pour
éprouver ma résistance physique et morale. Ce
n'est pas héroïque; c'est peut-être simplement
idiot et prétentieux. Quelque chose me dit que
c'est encore une œuvre de l'orgueil et que la vie
est plus simple, que la véritable humilité, sans
doute, est de ne pas songer, fièrement, à son âme,
pas même pour la châtier. Oui, mais en suivant
cette voie-là, ne risque-t-on pas de succomber à
toutes les complaisances?... Chacun vit en solitude
avec ses démons familiers... Il existe, chez certains
insectes, des parties d'organes qui se forment sépa-
rément et qui viennent s'emboîter, s'accrocher
avec exactitude comme si tout avait été préparé
par une intelligence supérieure. Tentation du finalisme... Si M. Nicolas Rohner, mon ancien maître,
connaissait mes pensées, avec quel mépris ne me
regarderait-il pas? Non, non, la nature est désor-
dre. Rien n'y est l'effet d'un plan préalable. Presque tout y blesse ma raison... Ah! Ah! Voilà déjà
la place de la Bastille. Cécile veut un ordre! Elle
dit qu'elle sent un ordre. Le désir d'ordre est le
seul ordre du monde... Justin, déjà! »

Justin Weill tournait pensivement autour de la
colonne, dans la lueur des lampadaires. Il dit, la
voix acérée :

— Tu es en retard.

— Mais non, mais non, fit Laurent, je suis en avance de cinq minutes. Regarde l'horloge de la gare.

— Peut-être, reprit Justin; mais comme tu es toujours en avance d'un bon quart d'heure et que j'en ai pris l'habitude, alors cinq minutes seulement, c'est une sorte de retard.

— Arriver toujours en avance, murmurait Laurent, c'est une forme de l'inexactitude. Je fais de grands efforts pour tâcher d'être à l'heure juste. Et voilà que tu n'es pas content.

Justin secouait la tête et se prit à grogner.

— Les vieux amis, s'ils ne se disputaient pas, ils n'auraient plus rien à se dire.

— Mais si, mais si, Justin, moi, j'ai mille choses à te dire; malheureusement je ne suis pas bien sûr qu'elles puissent t'intéresser.

Justin fit un geste évasif et détourna l'entretien.

— Dépêchons-nous, dit-il, nous entendrons au moins la fin de la pièce, et surtout je pourrai t'expliquer ensuite ce qu'il faut penser de cet étrange milieu. Dépêchons-nous, je te prie.

— Mais, Justin, je suis en sueur.

— C'est que tu manges trop.

— Oh! soupira Laurent, scandalisé, vraiment, Justin, c'est un peu fort!

Justin Weill, déjà, changeait de route et d'orient.

— Vous avez, dit-il, habité par là, vous, les Pasquier?

— Nous, dit Laurent avec simplicité, nous avons habité partout. Grâce à l'humeur de mon père, j'ai laissé des souvenirs dans tous les quartiers de Paris et dans bon nombre de provinces françaises. A propos de papa, j'ai quelque chose à te dire...

— Et moi, coupa Justin, j'ai besoin de te parler de ta sœur Suzanne... Oui, je me rappelle, vous avez habité par ici, je veux dire au moins tes parents. J'étais venu avec toi le jour de l'emménagement. Cécile, à notre prière, a fait chanter le vieux piano de son enfance. Nous étions tous assis sur des caisses ou sur les meubles, dans la poussière. Les déménageurs écoutaient, fascinés, comme les animaux par le musicien thrace. Tout cela, c'est l'ancien temps.

— Que veux-tu me dire de Suzanne?

— Plus tard! Nous arrivons. Ah! mais, c'est la foule des grands jours! Pense donc : une pièce à thèse.

— Je voudrais savoir, pour Suzanne...

— Je te dis que nous en reparlerons plus tard. Entrons, maintenant. Nous sommes en plein cœur du faubourg Saint-Antoine. J'espère que je vais dénicher le petit père Gagnepain et que je vais pouvoir te présenter à lui. Toutes les choses de cette espèce reposent sur un homme dévoué. L'Université populaire du faubourg Saint-Antoine, c'est l'œuvre de Gagnepain. Ne me lâche pas d'une semelle.

Les deux amis venaient de s'engager sous une porte cochère toute pareille à celles, innombrables, qui, le long du vieux faubourg, soufflent au nez du promeneur les odeurs salubres des vernis, du sapin résineux et de la térébenthine, parfois mêlées au fumet vénéneux de la colle forte. Au portail commençait un large corridor qui s'enfonçait tout droit dans l'épaisseur des bâtisses et que des groupes d'ouvriers, pour la plupart en costume de travail, les mains tannées par les cires et les essences, animaient d'un bruit de paisible et joviale chamaille. On apercevait, à droite, à gauche, au passage, des salles de réunion, des rayons de bibliothèque. De jeunes hommes jouaient, d'autres lisaient, les doigts crispés dans la tignasse.

— Tu comprends, disait Justin, qu'ils ne sont pas tous au théâtre. On a représenté trois ou quatre fois cette pièce et ceux qui l'ont déjà vue laissent la place aux autres.

Tirant son ami par le coude, Justin se frayait une route à travers les groupes. De temps en temps, il serrait une main, saluait d'un clignement de l'œil, d'un geste familier soit du doigt, soit du chapeau.

— On me connaît ici, disait-il. J'y viens donner des conférences. Le poète Apollinaire en a fait une, l'autre jour, sur la poésie moderne, avec le concours d'artistes prêtés par Antoine, le directeur de l'Odéon. J'y suis venu, naturellement. Ah! voilà le père Gagnepain. Quelle honnête figure!

Le père Gagnepain était un vieux petit homme à la moustache blanche et rognée, l'air d'un ancien contremaître, paternel et vigilant.

— Ah! dit-il, vous arrivez seulement pour entendre la fin. Vous allez voir : ils sont contents. Ils écoutent bien et même ils y pigent quelque chose. La science, vous comprenez! C'est un sujet qui leur travaille la comprenette. Et vous verrez, c'est bien joué. Léonie est épatante. Votre ami, dites-vous, est justement un jeune savant. Ça fait plaisir de le voir

ici. Je vais vous trouver deux places. Dites-donc,
mon petit Weill, si vous avez des copains qui veuil-
lent bien nous dégoter des bouquins pour notre
bibliothèque, vous savez que j'accepte tout. Expli-
quez-leur : la meilleure façon de libérer le peuple,
c'est d'abord de l'instruire. Le reste se fera tout
seul.

Suivant le vieil homme qui les tirait par la main,
les deux amis pénétrèrent dans la salle de spectacle.
C'était un long boyau rempli d'une foule confuse
dont on percevait tout de suite la moite et forte
odeur. Il y avait là des femmes qui tenaient leurs
enfants endormis dans leur giron, de jeunes hommes, en grand nombre, de vieux travailleurs qui
reployaient en avant, pour mieux entendre, leurs
oreilles capitonnées de poil blanc. Par-dessus les
têtes, on apercevait, tout au bout de ce corridor, les
lumières de la scène. Une jeune actrice expliquait,
en montrant sa poitrine, qu'elle allait sûrement
mourir, mais qu'elle ne regrettait point de se sacri-
fier pour la science.

— Tu sais, dit Justin tout bas, c'est *la Nouvelle
Idole*. Tu l'as peut-être lue déjà.

— Non.

— C'est de l'Ibsen pour les pauvres. N'importe!
Ils partiront d'ici avec le sentiment d'avoir fait un
effort pour s'élever au-dessus d'eux-mêmes. Je te
dirai tout à l'heure ce que je pense de tout ça.

Deux ou trois spectateurs firent « chut », sans
acrimonie, pour prier Justin de se taire. Puis un
nourrisson perdu dans l'épaisseur de la foule se
prit à crier, à demander le sein. Puis toute l'assem-
blée partit en applaudissements parce que l'acteur

arrivait à la fin d'une période sonore. Le silence
enfin retomba. Les deux amis, serrés l'un contre
l'autre, au milieu de cette multitude à la chaleur
généreuse, se sentaient, petit à petit, gagnés par
un bien-être qui ressemblait à l'ivresse du vin.

Une demi-heure plus tard, comme ils cheminaient côte à côte, sur le trottoir du faubourg, Justin commença de parler.

— Il vient, disait-il, il vient de tout, même des
gens du monde, même des dames patronesses dans
le terrier du père Gagnepain, et tous s'en vont
souriants, parfaitement sûrs que la révolution est
un phénomène bénin qu'on finira par arranger
avec des distributions de lainages, des dons aux
bibliothèques et des matinées à bénéfice dans les
théâtres de la périphérie. Ces bonnes âmes se trompent. Qu'est-ce que tu as ? Tu ne dis rien ?

— C'est sans doute, répondit Laurent, que je
n'ai rien à dire. Je suis un biologiste de carrière. Je
me défie des idéologues. Je suis certain, maintenant, que, malgré toutes les inventions, malgré
toutes les révolutions, malgré toutes les doctrines,
il y aura toujours des gens pour souffrir dans l'ombre inférieure et faire, avec peine et douleur, des
choses qu'ils ne veulent pas faire et qu'on les for-
cera de faire.

— Voilà, dit Justin roidement, un propos que
j'ai déjà, me semble-t-il, entendu tenir autrefois à
ton frère Joseph. C'est beau, l'esprit de famille !

— Ne montre pas les dents, Justin, tu ne me
feras pas sortir de mon assiette. Il est tout à fait
possible que Joseph ait dit un jour quelque chose
d'analogue. Seulement Joseph, je le sais, a pris, dès

le début, son parti de l'injustice. Moi, je ne m'en
consolerai jamais.

— Il y a quand même une façon de se consoler
de l'injustice et c'est de travailler à la détruire.
Connais-tu, au moins de nom, le philosophe alle-
mand Marx?

— Non, non, je ne le connais pas.

— Mon vieux, c'est un personnage dont tu
entendras parler. Sois bien sûr aussi que toutes les
gentillesses du père Gagnepain et de ses honnêtes
semblables, tout cela c'est, dès maintenant, de
l'histoire ancienne. Le temps du sentimentalisme
est fini. Nous pénétrons, bon gré, mal gré, dans
un nouvel âge du monde. L'âge de l'économie
pure. Mais laissons cela de côté...

— Je voudrais quand même savoir, murmura
Laurent, ce que tu pensais me dire au sujet de la
petite Suzanne.

— Attends encore un peu, je te prie. Veux-tu
prendre un café-crème ou quelque chose de ce
genre?

— Oui... Non... Ça m'est égal.

— Asseyons-nous là, si tu veux, à la terrasse de
ce café, derrière le brasero. On ne se croirait pas
aux premiers jours de mars, mais au cœur du printemps. Tu sais que les attaques contre Chérouvier
continuent dans une certaine presse. Je ne parle
pas de la grande presse d'information. L'article du
Télégramme a produit le meilleur effet et je pense
que ton frère Joseph doit en être encore éberlué.
Non, c'est la petite presse de parti qui s'acharne
sur Chérouvier.

— Pourquoi me dis-tu cela?

— Chérouvier est trop âgé pour se défendre lui-même autrement que par la plume, mais il a des amis.

— Pourquoi, Justin, me dis-tu tout cela, à moi? Parle-moi plutôt de Suzanne.

— Je te dis ce que je pense parce que tu es mon ami, parce que j'ai besoin d'un témoin, parce que, si tu n'étais pas là, je parlerais peut-être aux arbres.

— Et Suzanne?

— J'y arriverai, crois-le. J'y arrive, sans qu'il y paraisse.

Un léger silence tomba. De temps en temps, la molle brise aux senteurs marines, celle qui, parfois, venue de l'ouest, apporte jusqu'au cœur de la ville le sel et l'humidité des solitudes océaniques, la molle brise, de temps en temps, s'engageait entre les paravents vitrés de la terrasse et chassait vers les amis la chaleur du brasero et sa vapeur sulfureuse.

— Et Suzanne? dit encore Laurent avec timidité.

— Sois sûr, dit Justin gravement, que l'amitié seule m'engage... enfin... que c'est par devoir...

— Mais va donc, va toujours, s'écria Laurent d'une voix irritée.

— C'est très difficile à dire. Suzanne est délicieuse, je ne la crois pas méchante...

— Non, non, elle n'est pas méchante.

— Mais elle est belle et coquette. Son histoire avec Testevel, et, plus tard, cette longue tragi-comédie avec le misérable Larseneur...

— Je sais, je sais tout cela. Tu vas me parler de Roch. J'en ai dit deux mots, il y a quelque temps, à la petite Suzanne.

— Eh bien! non, je n'allais pas parler de Roch.
Je ne savais même pas qu'il y eût une histoire
Roch.

— Alors?

Justin tourna la tête et dit très vite :

— Il existe un monsieur, un seul, avec qui
Suzanne n'a pas le droit de s'amuser.

Laurent rougit brusquement :

— Qui? souffla-t-il.

— Je ne peux pas le dire. Et puis, ça ne me
regarde quand même pas. Tu verras. Tu réfléchiras.

— Tu ne veux pas me dire qui?

— Tu trouveras bien tout seul. Pas un mot de
plus, je te prie. Veux-tu manger quelque chose?

— Non, merci, mange si tu en as envie.

— J'en ai envie, dit Justin, et pourtant je m'en
abstiendrai.

— Pourquoi?

— Je vais te faire une confidence. Depuis le mois
de décembre, je ne mange plus, le soir, pour
m'éprouver, pour me contraindre.

— Il faut avouer, fit Laurent, que c'est bien
extraordinaire.

— Quoi? dit Justin avec candeur. Ce que je viens
de te dire?

— Ce qui est extraordinaire, c'est que, depuis
quatre mois, je fais exactement la même chose que
toi. J'allais même t'en parler, et j'hésitais.

— Pourquoi?

— Parce qu'il me semblait que c'était, chez
moi, quelque chose comme un vestige de l'édu-
cation chrétienne.

— Oui, oui, et tu ne m'en as pas dit un mot parce que tu t'imagines peut-être que nous sommes incapables, nous autres Juifs, de cultiver les idées de privation, de sacrifice et de renoncement.

Laurent haussa les épaules :

— Je finirai par ne plus te parler de rien : tu prends tout en mauvaise part. Quant à la petite Suzanne...

— Je n'ai plus un mot à te dire au sujet de Suzanne. Laurent, je vais m'en aller. Je dois écrire mon article. Il faut que je gagne ma vie, une vie que je n'aime pas. Avant de me laisser partir, dis-moi que tu me pardonnes.

— Quoi donc, mon pauvre vieux ?

— J'ai le sentiment que je deviens tout doucement un ami très désagréable et difficile à porter.

— J'étais justement sur le point de te faire une remarque analogue.

Justin saisit la main de Laurent et la secoua de toutes ses forces.

Quelques instants plus tard, sa lourde serviette sous le bras, Laurent reprenait le chemin de la colline Sainte-Geneviève. Toutes colorées de fatigue, les pensées du jeune homme s'élançaient en se heurtant comme des animaux captifs : « Qu'a-t-il voulu me dire avec cette histoire de Suzanne ? Il y a de longs moments où j'avance comme un aveugle. Je ne vois rien en moi, ni au dehors... Quand Justin m'a proposé de manger, j'ai bien failli céder, car j'avais faim, j'ai encore faim. Et si j'avais cédé, quelle humiliation devant lui qui, justement, s'applique à cette espèce de pénitence... Mon Dieu ! qu'il fait chaud, qu'il fait lourd, on se

11

croirait au mois de mai... Il veut défendre Chérouvier! Qu'est-ce que signifie tout cela?... Je viens de
penser : « Mon Dieu! » La force de l'habitude et
surtout du vocabulaire. Il y a un étrange enivre-
ment dans la destruction de tout Dieu au fond de
nous, dans cette purgation rationaliste. Il y a une
métaphysique nouvelle dans l'absolue destruction
de toute métaphysique... Ah! Ah! Un petit pas de
plus et cette voiture m'écrasait. Je finirai par me
faire écraser, ce qui simplifiera considérablement
les choses... Il parle de défendre Chérouvier autrement que par la plume... »

Pendant cinq ou six minutes, Laurent marche
comme un fantôme, toute pensée suspendue. Et,
tout à coup, la machine recommence de fonction-
ner : « J'ai une petite douleur du côté du nerf sciatique poplité externe. Depuis des siècles de siècles,
le nerf sciatique a pris et repris naissance des
milliards de fois dans le corps périssable des hommes, et, des milliards de fois, il s'est consumé pour
retourner en poussière. N'importe! C'est toujours
lui. Depuis des milliers d'années, le nerf sciatique
poplité externe, qui justement me fait mal, a
retrouvé son chemin entre les muscles et tous les
autres organes. Toujours le même chemin. Qu'est-
ce que tout cela veut dire? Qu'est-ce que signifie
donc cette histoire au sujet de Suzanne? »

La silhouette du jeune homme s'éloignait dans
la pénombre du boulevard Saint-Germain.

CHAPITRE XVII

LE RÉGIME DE L'INDÉPENDANCE PARFAITE. ORIGINES D'UNE FOI RELIGIEUSE. UN MOT QU'IL NE FAUT PAS PRONONCER. CÉCILE NE PEUT ÊTRE JALOUSE QUE D'ELLE-MÊME. VUES LÉGENDAIRES ET VUES HISTORIQUES. LA VOIX DU PETIT ENFANT.

— J'espère, articula Richard, j'espère ne pas vous fâcher, Athéna, en vous avouant que demain je ne déjeunerai pas ici.

Comme Cécile restait muette, Richard Fauvet dit encore, avec un sourire de biais :

— Vous ne répondez rien, chérie?

— Non, fit paisiblement Cécile. Il n'y a rien à répondre. Vous êtes libre. Nous nous sommes épousés, il y a plus de trois ans, sous le régime que vous appeliez alors et que j'appelais moi-même le régime de l'indépendance parfaite. Je vois que vous ne l'avez pas oublié.

Richard examina pendant une grande minute ses mains qu'il faisait assidûment soigner par la manucure. Puis il dit, articulant bien les mots :

— J'aurai le plaisir de déjeuner avec quelqu'un que vous connaissez fort bien.

— Déjeunez avec qui bon vous semble, Richard;

mais épargnez-moi vos confidences. Vous le comprenez, je vis, je travaille et je fais de mon mieux.

— Voir vos lèvres blanchir, voilà ce qui m'est pénible, chérie. Prenez garde, je ne vous appellerai plus Athéna, mais bien plutôt Melpomène.

— Epargnez-moi vos plaisanteries. Je ne pense pas vous avoir jamais caché mes défauts, qui sont grands, je préfère vous les montrer et me trouver ainsi libre d'être selon ma nature.

— Chérie, je ne vous ai jamais fait et ne vous ferai sans doute jamais qu'un reproche, c'est d'éprouver très peu... non, non, je ne vais pas prononcer de grands mots... c'est d'éprouver, mettons, très peu d'amitié pour l'homme que vous avez librement choisi comme compagnon.

— Richard, je vais vous parler dans la simplicité du cœur : quittez ce ton d'ironie glacée. Je ne saurais vous dire à quel point il me blesse.

— Je ne mets aucune ironie dans cet entretien qu'il ne tiendrait qu'à vous d'humaniser, chérie. Je vous ai dit tout uniment que je ne déjeunerais pas avec vous demain midi, rien de plus, et voilà tout de suite le drame.

— Vous êtes quand même trop intelligent pour abuser de votre éloquence envers une personne qui n'en fait pas métier.

— Et vous, chère Cécile, vous êtes sans doute trop justement orgueilleuse pour me faire, à moi très infime, l'honneur d'une scène de jalousie.

Cécile se leva toute raide et fit un mouvement pour gagner la porte.

— Je vous défends, disait-elle d'une voix défail-

lante, je vous défends, Richard, de prononcer ce
mot devant moi.

Richard Fauvet tendit la main et saisit la jeune
femme au poignet :

— Chérie, murmurait-il, vous manquez à nos
conventions. Vous répudiez le régime de l'indépendance parfaite. Vous m'étonnez. Il y a peut-être
des choses de votre vie dont je pourrais me sentir
surpris et même blessé. Réfléchissez bien, Cécile.
Il y a des choses de vous qui sont, pour un esprit
de ma sorte, plus graves qu'une trahison.

— C'est vrai! répondit Cécile en se retournant
vers le jeune homme. Puisque vous voulez le
savoir, je vous abandonne souvent pour quelqu'un
au prix de qui, malgré toute votre intelligence,
vous êtes moins qu'un grain de poussière.

— C'est probablement vrai; mais vous avez
grand tort d'affaiblir ces considérations sublimes
par des comparaisons en quelque sorte quantita-
tives.

— Je parle comme je sais.

— Et peut-on vous demander de quand date
cette belle ferveur religieuse?

— Si vous voulez le savoir, elle date très exactement du premier mois de notre mariage.

— Chérie, la colère vous inspire des répliques
peu chrétiennes, des répliques dont l'indulgence
et la charité sont singulièrement absentes.

— Que voulez-vous, Richard? en vous écoutant
parler, dans les débuts de notre vie commune,
l'idée m'est venue presque tout de suite que la
vérité devait être très loin de vous.

— Quel singulier raisonnement!

— Oh! ce n'était pas un raisonnement. Alors, je me suis mise à chercher tout à l'opposé de vos opinions ordinaires.

— Vraiment! Voilà une confidence pénible pour moi, mais à coup sûr intéressante. Reconnaissez, Athéna, que je ne me suis jamais permis la moindre observation.

Le jeune homme avait repoussé le fauteuil et marchait dans la chambre, les doigts en mouvement, le visage contracté, les lèvres minces.

— Voilà, disait-il, une confession qui n'est pas fort agréable aux oreilles du compagnon que vous avez bien voulu distinguer. Oh! je me demande parfois pourquoi vous l'avez distingué.

Cécile fit front, soudainement.

— Je vous le dirai sans doute un jour. Ne demandez pas à le savoir, car c'est fort simple. Attendez, attendez, Richard. Je crois que la colère est finie. Je crois que je vais retrouver le calme. J'étais presque tranquille, oui, j'étais dans un grand repos, et voilà que vous avez senti le défaut de la cuirasse. J'ai vécu, toute ma jeunesse, dans la société d'un homme léger. Ne cherchez pas : c'est de mon père que je parle. Il était beaucoup moins instruit, beaucoup moins intelligent, beaucoup plus instinctif que vous, et c'est pourquoi je l'aime encore, c'est pourquoi nous l'aimons tous, bien qu'il nous ait tous fait souffrir. Mais j'ai l'expérience de certaines douleurs et, quand vous prononcez certains mots, je souffre non seulement pour moi, mais pour plusieurs autres cœurs.

— Sachez-le bien, chérie, c'est avec votre frère Joseph que je déjeunerai demain.

— C'est possible, je n'en doute même pas. Déjeunez avec qui vous voudrez. Faites ce que vous voudrez. Humiliez-vous, si cela vous plaît, dans la société des petites sottes que vous introduisez chez moi et même à qui vous me priez de donner des leçons de musique. Tout cela m'est indifférent ou presque indifférent. Mais il y a des choses que vous ne devez pas faire, que vous ne pouvez pas faire. Vous êtes un esprit infiniment libre et vous vous croyez sans loi. Tant pis! Je vous l'ai dit un jour et je vous le répète aujourd'hui : il y a certaines choses que je ne vous laisserai pas faire.

— Peut-on savoir, Athéna, quelles sont les choses défendues?

— Vous me l'avez déjà demandé. Je crois vous avoir répondu que vous n'auriez aucune peine à le deviner vous-même. Qu'est-ce qui vous prend, Richard?

— Vous vous en doutez, chérie! Vous imaginez pourtant que les scènes de cette sorte ne sont pas bonnes pour un homme toujours souffrant, toujours malade. Non, non, ne prenez pas la peine, je vais me coucher sur ce divan... Je respire déjà mieux. Que disions-nous, chérie?

— Je voulais vous faire une prière, Richard. Ne prononcez jamais devant moi le mot de jalousie. Il me blesse. Il me fait mal. Quand j'étais jeune fille, je pensais, je disais que je ne pourrais jamais être jalouse que... de moi-même.

— C'est très joli, Cécile, mais je ne comprends pas très bien.

— Probablement parce que c'est une pensée

obscure et peu compréhensible en effet. Mais je
l'éprouvais ainsi. Comment vous expliquer que
le mot seul de jalousie suffit à me remplir de
honte?

Le jeune homme s'allongeait sur le divan de cuir
en poussant quelques gémissements.

— C'est extraordinaire, disait-il, vous êtes plusieurs dans votre famille, dans votre clan, comme
dit Laurent, à nourrir sur l'humanité des vues...
voyons, comment les appeler? Des vues... mettons
légendaires. Mais non, mais non, ma pauvre amie,
l'humanité est très différente de ce que vous imaginez. Beethoven, le modèle des héros... Mais non,
lisez les textes. Le grand Beethoven était tout le
contraire d'une âme vraiment généreuse. Bach,
votre saint patron, ma chère, était un bon gros
sans intérêt. Wagner, dont par hasard je porte le
prénom, s'est toute sa vie comporté comme une
sale bête. Et les autres à l'avenant. La vraie charité,
Athéna, la voilà! Permettez-moi de vous le dire.
Elle consiste à juger les hommes avec modération,
avec équité. Allons, bon, voilà que je vous ai
blessée, une fois encore, sans le vouloir.

Cécile tendit la main dans la direction de l'étage
supérieur :

— Excusez-moi, dit-elle. Il faut que je vous
quitte : l'enfant se réveille. Quoi que vous puissiez
dire ou faire, vous n'arriverez jamais à me retenir
quand cette petite voix m'appellera.

— A vous croire, soupira le jeune homme, on
pourrait penser que je ne l'aime pas.

— Je ne sais trop. Vous n'aimez qu'une seule
personne, Richard, et vous l'aimez bien.

Richard commença de gronder, mais Cécile s'était enfuie.

La voici debout, maintenant, dans la chambre du petit Alexandre; elle regarde l'enfant et elle dit avec frayeur :

— Mais qu'est-ce qu'il a, Félice?

La servante et la mère se jettent à genoux sur le tapis. L'enfant est étendu là, parmi les jouets qu'il vient d'abandonner. Il s'est renversé sur le dos, les petites jambes reployées, et il pousse un long cri sanglotant. Un grand cerne bleu se dessine autour de ses yeux d'où glissent des larmes claires.

— Qu'est-ce que c'est, mon Sandry?

— Il était là, dit la servante. Il jouait paisiblement et tout à coup il s'est mis à crier.

Les deux femmes, immobiles, regardent le petit garçon. Un long moment passe et la rémission tombe soudain. La douleur a quitté cette petite proie fragile. Déjà l'enfant se déplie. Le sourire vient de renaître au coin de la tendre bouche. Alors Cécile saisit à plein bras le corps du petit garçon. C'est bon. C'est chaud, c'est douillet. Quel fardeau précieux! Comme il est lourd et léger! Comme il s'applique bien étroitement à la poitrine de la mère.

Cécile regarde avec transport cette petite créature qui n'existait pas, naguère, et qui est apparue soudain et qui remplit maintenant si bien tout l'espace de l'univers. Cécile regarde la bouche, d'une matière si précieuse, la joue ronde où va sécher la dernière trace de larmes, les yeux si purs et si paisibles qui ne clignent presque jamais, et l'oreille au fin duvet, comme la feuille de la menthe.

— Parle, parle, mon Sandry.

L'enfant se prend à babiller. Cette voix de l'enfant, c'est la voix par excellence. Celle qu'on entend, parfois, dans le silence de la nuit quand le petit garçon rêve. Celle qui marque, le matin, l'arrivée de la lumière et le réveil de la vie. Celle qui chantonne, le soir, la chanson balbutiante, la chanson qui précède le sommeil et le célèbre déjà, la chanson qui, pour cet innocent, ressemble à une prière.

CHAPITRE XVIII

ÉMOTION DE M. MAIRESSE-MIRAL. UNE COMMANDE INTÉ-
RESSANTE. REPRISE DE LA GUERRE BALKANIQUE.
JOSEPH SE RÉCONCILIE AVEC LA BULGARIE. DÉJEUNER
AU RESTAURANT. UN HOMME DÉSABUSÉ. LA PASSION
DU GAIN, DÉRIVATIF MORAL. UN COMPLOT CONTRE LA
FRANCE. AUX GRAVES QUESTIONS LES GRANDS AUDI-
TOIRES. JOSEPH REND JUSTICE A LAURENT.

Joseph Pasquier jetait sur la personne de M. Mairesse-Miral un regard empreint du plus cordial
mépris. Puis, soudain, il partit à rire :

— Mairesse, dit-il, vous n'êtes pas présentable.
J'avais d'abord pensé vous retenir à déjeuner.
Vraiment, c'est impossible. Vous vous négligez,
mon cher. Il y a de l'œuf sur votre gilet, ma parole,
et encore je ne sais trop quoi : des traces de café ou
de vin. Vous prisez. C'est votre affaire. Mais ça se
voit beaucoup trop. On dirait que vous avez un nid
de puces dans la moustache. Comprenez-moi bien,
Mairesse : vous devenez de moins en moins utili-
sable.

M. Mairesse-Miral s'était mis tout naturellement
au garde à vous, comme pour une revue d'habille-
ment. Il fit un sourire douloureux et répondit à la

troisième personne, ce qui pouvait passer, chez lui, pour un signe d'émotion.

— Monsieur Pasquier, bredouillait-il, sait que j'ai de petits défauts, mais que je suis fidèle et discret. Si Monsieur Pasquier abandonne un vieux serviteur, le vieux serviteur n'a plus qu'à tomber dans une vie d'expédients, peut-être même dans la vulgaire canaillerie. Monsieur Pasquier sait fort bien que, pour rester un honnête homme, je suis prêt à tout, même à faire une petite malhonnêteté.

— Ah! dit Joseph, si vous m'obligez à rire, maintenant... Avouez, Mairesse, que ce n'est pas loyal.

— Monsieur, on fait comme on peut, dans l'extrémité où je me trouve.

— Mon pauvre Mairesse, j'ai quand même pour vous une espèce de sympathie, mais vous êtes dégoûtant. Regardez-vous une seconde. Regardez-vous dans la glace. Est-ce que je peux vous envoyer dans le cabinet d'un ministre? Est-ce que je peux vous charger de quelque mission d'importance? Non, non, toutes les choses graves, il faut que je m'en charge moi-même. Quant au personnel des bureaux, on ne doit pas mêler ces gens aux démarches délicates. Je finirai par chercher un autre homme de confiance. Un garçon jeune, correct et bien mis. N'allez pas vous imaginer, Mairesse, que ma vie est drôle. Elle est effroyable, vous m'entendez? Effroyable! Oh! vous ne pouvez pas comprendre...

Joseph Pasquier fit demi-tour et revint s'asseoir dans son fauteuil américain.

— Puis-je vous demander, monsieur, murmurait le bonhomme, comment s'est passée l'entrevue
avec le prince Moutkourof ?

— Mais, comme je l'avais prévu, Mairesse, et
pas autrement. Moutkourof est venu me voir quatre
jours avant la rupture de l'armistice. Il était très
gentil, je vous assure : la bouche en croupion de
poule et le dos rond, dès la porte. Nous tenons la
commande et je peux vous assurer que la commande n'est pas mal... Tout cela doit filer maintenant, par trains entiers, à grande vitesse, dans la
vallée du Danube. Vous voyez : le beau Danube
bleu. Bien entendu, le Moutkourof a poussé des
gémissements à propos des campagnes de presse. Il
n'a pas tout à fait tort. Il faut jeter des cendres,
vous comprenez, Mairesse. Le silence ! Les voiles
de l'oubli. Et puis d'abord, régler son compte au
citoyen Chérouvier. Je vais m'occuper de la chose.
Encore un mot, Mairesse. Combien avez-vous
donné, en tout et pour tout, à votre Délia ?

— Sept cents francs, monsieur. Une fois quatre
cents, une fois trois cents.

— C'est énorme. Alors qu'il se tienne tranquille.
Vous pouvez lui faire entendre, en admettant qu'il
reçoive, pour finir, une bonne mornifle dans la
grande presse d'opinion... — ce sont des choses,
Mairesse, qui peuvent très bien arriver — vous
pouvez lui faire entendre que je veux qu'il ne
rouspète pas. Tranquille comme un rat mort.
Donnez-moi le numéro de la *Gazette chirurgicale*.
Si votre Délia s'avisait de se montrer récalci-
trant...

— Mais, monsieur, pourquoi l'appelez-vous

« mon Délia » ? Depuis quatre ou cinq minutes, je ressens à son sujet un sincère éloignement.

— Mon cher, vous n'êtes guère sérieux. Pas le temps de plaisanter. Si votre Délia se permet seulement de sourire ou d'élever la voix, dites-lui qu'il se fera casser les reins. Enfin, ne lui dites pas cela, mais arrangez-vous pour qu'il comprenne à demi mot. Encore une fois, donnez-moi le numéro de la *Gazette chirurgicale*. Vous savez que mon beau-frère Fauvet ne m'inspire aucune tendresse. Ce n'est pas une raison pour ne pas tirer de lui tout ce qu'on en peut tirer. Je lui ai donné rendez-vous au restaurant. Je n'aime pas qu'il vienne ici. Ni chez moi, d'ailleurs, ni chez moi. Il regarde les meubles, les tableaux, les tentures, d'un air malin, malin, et il fait une petite moue comme pour dire : « Peuh... Peuh... » Les hommes de cette espèce-là ont toujours le sentiment de posséder le secret du bon goût. C'est un esthète, un faiseur. Moi, j'ai toujours vu les choses qui étaient de bon goût la veille devenir de mauvais goût le lendemain. Alors, je ne crois pas au goût. L'argent, dame, c'est autre chose. Jusqu'à nouvel ordre, un louis d'or, c'est un louis d'or... Mairesse, vous savez que je ne vous cache rien, bien que vous ne soyez pas à prendre avec des pincettes — la pure vérité, mon cher. — Le docteur Pasquier, mon père, veut m'emprunter quatre mille francs. Et pour quoi faire, Seigneur ? Oh ! je m'en doute.

Joseph Pasquier, d'un air rêveur, enfilait maintenant son pardessus, puis il se noua sous le menton un épais foulard de soie. Cependant, il continuait de murmurer, comme à soi-même :

— Quand on se prête de l'argent, entre personnes de la même famille, ça finit toujours par
des fâcheries. Alors, non, ma foi, non. Je ne veux
pas me fâcher avec mon père.

Cinq minutes plus tard, Joseph cheminait sur le
trottoir de la rue du Quatre-Septembre, dans la
direction de la Bourse. Il portait un chapeau melon
au feutre impeccable, un gros pardessus de ratine,
pincé à la taille, comme ceux des demi-solde, et
qui s'ornait, au revers, d'une large et flamboyante
rosette de la Légion d'honneur.

Il était beaucoup plus de midi. Le restaurant de
la *Colonnade*, rue Vivienne, se trouvait à moitié
désert. Le meilleur de sa clientèle était, depuis un
grand moment, à trépigner dans le tumulte de la
Bourse. Joseph avait fait retenir une petite table
dans une encoignure paisible, sorte de diverticule,
de fiord où l'on pourrait deviser à l'aise, loin des
oreilles indiscrètes.

En attendant son convive, Joseph composa le
menu. Il aimait la bonne chère et il avait une façon
toute personnelle de concilier la gourmandise et la
plus stricte économie. Il disait volontiers : « J'aime
l'argent, assez pour n'être pas avare. Le véritable
avare manque tous les jours à gagner, par mauvais
calcul. » Il disait encore : « Il faut du temps pour
comprendre vraiment les bonnes choses : le vin,
la nourriture, les bons cigares, les bonnes voitures
et tout le reste. Il faut du temps et de l'étude,
autant que pour un doctorat ès sciences ou pour
l'agrégation de philosophie dont ils font tant de
chiqué. » Joseph avait enfin un sens accompli de
la partie à jouer, de la mise de fonds, des risques

et du rendement. Il appliquait ces rares vertus aux entreprises les plus graves comme aux plus épisodiques.

— Vous nous donnerez des huîtres, dit-il. Deux douzaines. Puis des pieds de porc farcis, puis un châteaubriant, puis le plat de fromages, avec une part de tarte pour finir. Quelque chose de simple et de robuste. Bien. Avec ça, deux vins, pas plus : une bouteille de Château-Chalon, une bouteille de votre Clos de Tart. Pour finir, un dé à coudre de moka très fort, très noir, très chaud. Ça va. Voici mon invité.

Richard Fauvet s'avançait, conduit par le maître d'hôtel. Il avait l'air attentif, réticent, mais cordial. Il se demandait les raisons de ce rendez-vous et n'arrivait pas à les deviner trop bien. Depuis son mariage, il avait assez peu vu Joseph et se le représentait volontiers, à travers les propos de Cécile ou de Laurent et les articulets des gazettes, comme le type du publicain, cynique, intelligent, gueulard et dont il était prudent de se méfier quelque peu. Il se rappelait aussi deux ou trois prises de bec, survenues chez le Dr Pasquier, à l'occasion des repas de famille, et dans lesquelles il avait toujours, en Joseph, senti l'adversaire irréductible. Il fut assez surpris de trouver, ce jour-là, un homme au visage mélancolique, à la voix basse et lointaine, aux gestes désabusés, et qui disait, avec un sourire déférent :

— Asseyez-vous, mon bon ami. Nous allons manger tout de suite. Oh ! J'imagine votre existence de travail et je suis le premier à comprendre combien votre temps est précieux.

— Le fait est, dit Richard, que je suis, en ce moment, débordé par la besogne.

Il était, sans vouloir se l'avouer, flatté par le ton de Joseph, par la réelle timidité que marquait soudain ce brutal, cet ogre, ce terrible gagneur d'or.

— Oui! Je sais, dit Joseph. Je connais vos polémiques. Et ne croyez pas surtout qu'elles me laissent insensible parce que, moi, je suis jusqu'au cou dans les affaires et qu'il s'agit, avec vous, d'idées, de haute philosophie. Non, non, je sais que nous autres, les gens de finance, nous obéissons toujours, en définitive, aux grands mouvements de pensée, aux grands courants, enfin à ce que vous appelez, vous autres, les lois de l'esprit. Buvez du Château-Chalon, mon cher, avec les huîtres. C'est un vin qu'on ne trouve pas partout. On a replanté le vignoble avec du plan de Tokay. Une fois qu'on le sait, on le sent.

Pendant une longue minute, les deux convives piochèrent du trident au creux des coquilles.

— On ne se voit jamais, reprit enfin Joseph, et je finis par en souffrir. Les réunions de famille, c'est très joli pendant les cinq premières minutes, et ça devient tout de suite odieux, surtout pour les gens comme vous, intellectuels et sensibles. Alors, voilà, j'ai voulu vous avoir à moi, simplement, pendant une heure, vous écouter, vous comprendre. Et rien de meilleur, pour cela, qu'un déjeuner modeste et substantiel, en tête-à-tête, dans le calme.

Joseph se remit à manger et à boire, avec, pour son partenaire, toutes sortes d'attentions nuancées et délicates. Cela dura jusqu'aux dernières bouchées du rôti. Richard commençait à rougir sous

l'effet de la réplétion et la vapeur des breuvages
lui brouillait légèrement la vue. Il s'assouplissait,
il se dénouait peu à peu, posait sur la vie des
hommes d'argent et de bourse une foule de questions subtiles, presque insidieuses à son gré, questions auxquelles Joseph répondait par des boutades,
par des sentences rondes, parfois même naïves,
dont Richard partait à rire. Il avait le sentiment de
mener, sans qu'il y parût, une très habile enquête
sur ce milieu singulier qu'il connaissait à peine.

— Oh! voyez-vous? soupirait Joseph, il ne faut
rien exagérer. Les déceptions sont terribles. Je
connais des centaines de gaillards qui gagnent huit
cent mille francs par an pendant deux ou trois
heures. Et c'est tout. En admettant même qu'on
arrive à posséder quelque chose, il faut tellement
se défendre que c'est à se dégoûter de tout. Depuis
l'incendie de la Pâquellerie, je me bats, mon cher
ami, avec les compagnies d'assurance. Et je ne suis
pas au bout. Il y aurait de quoi pleurer. Il faut
pouvoir garder la maîtrise de ses affaires. Ou bien
vous en avez peu, je parle des affaires, et ça ne vaut
vraiment pas la peine; ou bien vous en avez
beaucoup, et alors vous en avez trop, elles risquent
de vous échapper. Mon cher, nous sommes dans
l'intimité, entre hommes, et je peux parler librement. Il faut voir le bout du bout. L'argent, c'est
comme l'amour, c'est comme tout. Vous dépensez,
vous dépensez sans regarder au fond de la bourse,
et, un jour, crac, vous trouvez la dernière pièce de
vingt francs. Après, c'est fini, c'est fini. Vous ne
connaissez pas le clos de Tart? C'est, avec la
Romanée-Conti, le meilleur cru de la Bourgogne.

Allons, n'ayez pas peur. On est si fatigué, parfois,
qu'il faut bien reprendre courage.

Richard Fauvet prêtait une oreille clémente à ces
généralités rudimentaires. Il commençait de penser
que ce beau-frère un peu voyant, un peu bruyant,
était, au bout du compte, un assez brave lourdaud
non tout à fait dépourvu, malgré sa réputation,
d'une pointe de sentimentalisme.

— Au fond, disait Joseph, je méprise l'argent,
parce que je sais trop ce qu'il peut signifier dans
un monde comme le nôtre. Mais si jamais les uto-
pistes s'avisent de supprimer l'argent, plus exactement s'ils essayent de supprimer l'amour du gain,
la passion du gain, eh bien! croyez-moi, Richard,
l'effet sera sûrement effroyable. La plupart des
hommes dérivent leurs mauvais instincts vers cette
fureur du gain. Le jour qu'on les en empêchera, ils
n'auront plus de recours que dans le crime. S'ils ne
peuvent plus s'enrichir, ils se dévoreront entre
eux.

Richard trouvait, sans l'avouer, la remarque
intéressante et se promettait de la noter, le soir
même, sur ses tablettes. A ce moment, on apporta
les fromages.

— Il faut, dit gaiement Joseph, que vous preniez
du fromage, puisque vous êtes de la famille. Mon
père, le docteur, nous a, dès le jeune âge, donné du
goût pour les fromages.

Et, tout à coup, sans transition, comme s'il ris-
quait d'oublier quelque propos essentiel :

— Je vois que nous allons nous séparer et que
je ne vous aurai peut-être pas dit ce que je pense
de votre campagne.

— Quelle campagne?

— Oui, je sais, vous en menez toujours plusieurs de front. Vous êtes un vrai polémiste. Moi, je parle de votre campagne au sujet de cette comédie des prétendues balles explosives.

— Oh! fit Richard Fauvet, ma position est très simple. Je prétends que le véritable intellectuel, celui pour qui la fonction intellectuelle est une sorte de sacerdoce, doit se tenir à l'écart de toute querelle politique, à peine de déserter sa mission et de tomber au rang des prédicateurs du forum.

— Je me permets, dit Joseph, moi qui ne mérite en rien le titre d'intellectuel mais qui place plus haut que tout les choses de l'intelligence, je me permets d'être absolument de votre avis. Vous avez été sévère pour un certain Chérouvier... Non, non, je ne vous reproche rien. Voilà d'ailleurs une question que je connais assez bien. Jamais, entendez-vous? jamais l'armée bulgare n'a fait usage de ces balles dites explosives. J'ai les renseignements les plus sûrs.

— D'où les tenez-vous? dit Fauvet avec candeur.

Joseph Pasquier ferma l'œil droit d'une façon suggestive.

— Je les ai, parce que, — ne le dites pas, — je suis conseiller financier de la légation bulgare. Mais la question, malheureusement, est beaucoup plus compliquée. Vous, Richard, vous avez étudié la médecine, autrefois. Vous savez, mieux que personne, que les balles ordinaires, quand elles rencontrent un obstacle à l'intérieur du corps humain, basculent, se retournent, font une cabriole en somme, et sortent en déchirant les chairs et la peau sur une étendue considérable.

— C'est vrai, murmura Richard. Et qui est-ce qui vous a dit ça?

— Mon Dieu, mais c'est Laurent, mon frère, votre beau-frère. Il a même laissé chez moi, l'autre jour, après déjeuner, un numéro de la *Gazette chirurgicale* que j'ai là, dans ma poche, et dans lequel on voit toutes sortes de photographies prêtées par les chirurgiens de la mission internationale et qui prouvent que les balles normales font des effets effrayants dans certaines conditions. Tenez, regardez, mon cher, voyez les photographies.

— Effectivement, murmura Fauvet d'un air préoccupé.

Une seconde, il venait de sentir que l'entretien perdait son caractère vagabond, qu'il prenait même un tour étrangement précis, que, malgré son accent bonhomme, Joseph parlait plus net. Mais, dans tout ce qu'il entendait, le jeune homme ne trouvait rien que de raisonnable et il cessa de résister.

— Le malheur, poursuivit-il, est qu'avec une seule de ces misérables étincelles, je veux dire avec un mot imprudent, on peut mettre fort bien le feu à tout un grand pays, peut-être même à tout un continent.

— Alors, s'écria Joseph, dites-le, une fois pour toutes, et qu'il n'en soit plus question. Que la paix revienne, sinon sur les champs de bataille, du moins dans les esprits.

— Mais je l'ai dit, je l'ai dit.

Joseph se pencha par-dessus la table et fit un sourire.

— Vous avez dit des choses excellentes, mais vous n'avez pas tout dit. Vous savez, le fameux article, l'article du *Miroir Universel*, je peux vous affirmer qu'il a été inspiré à certain petit monsieur que je préfère ne pas nommer par une grande firme anglaise de munitions et d'armements.

— Diable! diable! siffla Fauvet. Quelle singulière histoire!

— Le fond de cette histoire est simple, reprit posément Joseph... Avec le moka, après le moka plutôt, il faut prendre, pour le parfum, un petit verre de mirabelle... Bien. Le fond de l'histoire est simple : il s'agit de faire perdre à la France ses alliances et ses amitiés. Et ce qui est extraordinaire, c'est qu'avec la meilleure volonté du monde les intellectuels français se trouvent en quelque sorte au service de l'étranger. Voilà, toute lumière faite, le fin du fin qui...

— Attendez, fit Richard Fauvet. Laissez-moi vous poser une question. Vous savez que, dans cette affaire, je me suis trouvé très violemment attaqué.

— Je le sais, vous le pensez bien.

— Me permettez-vous de me servir des renseignements que vous venez de me donner pour en faire un nouvel article?

— Impossible! s'écria Joseph. Ce sont des renseignements de source diplomatique, de ces renseignements comme nous en avons souvent, nous autres, les gens de finance. Impossible! A moins, toutefois, que vous n'y apportiez la plus sévère discrétion. Aucune allusion à la firme anglaise, bien entendu. Pour Chérouvier et sa bande, là, vous pourriez taper. Je n'y vois pas d'inconvénient.

— C'est, dit Fauvet, ce qui m'intéresse le plus.

— En somme, la question est simple. Innocenter les Bulgares qui ne sont pour rien dans toute cette lamentable histoire. Puis saler les intellectuels qui se mêlent de tout sans même savoir ce qu'ils font et qui compromettent la France aux yeux du monde entier. Enfin, la leçon donnée, le silence, le calme, la dignité dans la tristesse et qu'on ne parle plus de rien.

— Cela pourra, calculait Fauvet, paraître au *Nouveau Portique* dans le numéro d'avril.

— Vous m'étonnez, dit Joseph. Le numéro d'avril! Mais, mon pauvre ami, la guerre sera finie. Personne ici ne saura plus ce que c'est que cette histoire des balles explosives. Non! Non! un homme de votre valeur aurait tort de mépriser la grande presse. Aux graves questions les grands auditoires!

Richard réfléchissait, soudainement désarçonné.

— Ecoutez-moi, dit Joseph. Si vous portez avant deux jours votre article à *l'Echo de Paris* — oui, franchement! Une très grande baraque. Pourquoi pas? — eh bien! on vous le prendra. J'ai des amis dans la maison. Dites-moi seulement que je peux leur téléphoner.

Richard serrait les dents :

— Vous pouvez téléphoner.

— Attention, c'est sérieux, ne me faites pas déranger mes amis pour rien.

Suzanne mouilla le fil entre ses lèvres, prit l'aiguille et l'enfila.

— Que me disais-tu, reprit Mme Pasquier, qu'est-ce que cette affaire de titre? Qu'est-ce que t'a dit ton père?

— Il paraît, m'a dit papa, que je possède, comme Cécile et comme les frères, un titre de rente de douze mille cinq cents francs qui nous vient d'un héritage du côté de ta famille...

— Continue, ma petite Suzette.

— Papa sait parfaitement que ce titre ne peut être vendu, parce que tu en touches l'intérêt, c'est du moins ce qu'il m'a expliqué. Mais on peut faire, en donnant ce titre en garantie, un emprunt. Papa m'a dit qu'il avait déjà fait des emprunts sur tous les titres des enfants...

Mme Pasquier leva les yeux au ciel avec une expression de commisération sincère.

— Continue, Suzanne! C'est presque incroyable.

— Papa m'a dit que j'étais majeure, que l'emprunt était désormais possible, qu'il produirait à peu près quatre mille francs et que justement...

— Ton père, soupira Mme Pasquier, est un homme remarquable et d'une grande intelligence; mais il y a des choses très simples sur lesquelles on ne peut rien lui faire entendre. Ton père va rentrer tout à l'heure, ma petite Suzette, et je lui expliquerai tout, au sujet de ce fameux titre.

— Si cela fait plaisir à papa, tu sais que je ne demande pas mieux. Je lui ai déjà donné deux mille francs, l'année dernière, quand je jouais au Gymnase.

— Mon Dieu! mon Dieu! Comment pourrons-nous jamais vous rendre tout cet argent? Les affaires de ton père vont si doucement, si doucement. C'est un médecin de grand talent, tout le monde le reconnaît; mais il est beaucoup trop franc pour la clientèle ordinaire. Il est trop vif et cela ne plaît pas à tout le monde. Ecoute, ma petite fille, je voulais te dire quelque chose, pendant que nous sommes seules.

— Qu'est-ce que c'est, Grand-Luce?

Depuis la naissance de leurs premiers petits-enfants, le Dr Pasquier s'était opposé vigoureusement à laisser introduire dans la famille les mots de grand-père et de grand'mère qui lui inspiraient une vive horreur. Il avait été convenu que la nouvelle génération dirait Grand-Ram et Grand-Luce. Ces noms avaient fait fortune et maintenant tout le monde les employait, même les amis de la famille, même parfois les serviteurs.

Grand-Luce prit donc une respiration profonde, fit d'un air pensif deux ou trois nœuds au bout de son aiguillée de fil et murmura :

— Je sais bien, Suzette, que ton métier n'est pas un métier comme les autres. Tout change. De mon temps, jamais une demoiselle de la bonne société n'aurait voulu devenir actrice. Mais tout est changé, je le vois bien. Ne ris pas. On dirait qu'en présence de toutes les questions sérieuses que pose l'existence, tu ne sais que deux choses : rire et pleurer. Ecoute-moi bien, Suzette. De mon temps, nous aimions la plaisanterie. A vrai dire : pas moi, guère moi. Ce n'est pas que je n'aurais pas voulu rire, mais notre tante Alphonsine était plutôt sévère. L'oncle Prosper était aussi un monsieur à l'ancienne mode. Quand même, autour de nous, on ne détestait pas la gaîté. Tante Coralie, par exemple, tu ne peux imaginer comme elle était vive et moqueuse. Et elle n'avait pas froid aux yeux, comme vous dites. Il venait des messieurs, à la maison, des représentants de commerce, des fournisseurs pour l'équipement militaire — tu comprends : la passementerie — eh bien! tante Coralie leur tenait tête et leur clouait le bec; mais sans jamais, jamais passer les bornes. Oh! tante Coralie, c'était une gaillarde, une forte fille. Pauvre Coralie, elle ne s'est pas mariée et, sur la fin, elle est devenue triste. Elle avait du regret. Elle ne savait pas ce que c'est : tous les soucis, toutes les déceptions. N'importe, elle est devenue triste.

— Ecoute, Grand-Luce, dit Suzanne d'une voix tragique, moi, je ne me marierai jamais. Je ne veux pas me marier et même je ne peux pas me marier.

— Ça, ça, ma petite fille, je me demande vraiment pourquoi.

— Maman, une artiste ne doit jamais se marier.

— Quelle idée! Ton père avait un vrai tempérament d'artiste, et ça ne l'a pas empêché de se marier, ma petite, et d'avoir sept enfants. Tu sais, je pense toujours aux deux morts. Pour moi, cela fait toujours sept.

— Moi, répéta Suzanne en regardant vers l'armoire à glace, moi je ne me marierai pas.

— Je ne dis pas non, Suzette, c'est ce que nous verrons plus tard. Mais que tu te maries ou non, fais attention, mon enfant.

— A quoi, chère petite mère?

— C'est difficile à t'expliquer, ma Suzette. Tu ris beaucoup...

— Moi! dit Suzanne en mettant la main sur son cœur. Moi, qui suis toujours si triste.

— Si, si, ma Suzette. Si, tu aimes rire et c'est de ton âge. Mais il y a des fois où c'est dangereux.

— Tu vas peut-être aussi me parler de Roch.

— Roch? Non, je ne pensais même pas à celui-là. Tu vois, cela fait un de plus. Non, je ne pensais pas à Roch.

— A qui donc?

— Tu verras, ma Suzette. Tu comprendras bien toute seule. Attends que je te regarde. Quand tu étais petite fille, on disait : elle est trop jolie, ça ne durera pas. Et les années ont passé. Maintenant tu es une femme.

— Oui, dit Suzanne en se jetant aux pieds de Mme Pasquier de manière à faire largement bouffer sa robe. Oui, mais, maintenant, je suis laide. Oh! je le sais bien, je le sais bien...

Suzanne, la tête dans les jupes de sa mère, affectait un désespoir théâtral. Mme Pasquier soupira :

— Mais non, mais non, tu n'es pas laide. C'est même tout le contraire. Alors, fais attention, mon enfant. Je pense que tu ne voudrais causer de peine à personne. Relève-toi, j'entends ton père. J'entends le pas de ton père. Il y a quelqu'un avec lui. C'est probablement Laurent.

En l'honneur d'un mois de mars clément et déjà fleuri, le docteur avait sorti de l'armoire un pantalon à petits carreaux, une lavallière de couleur tendre et un pardessus de demi-saison de la forme

dite raglan. Il n'était certes pas de ces hommes qui
s'accrochent une fois pour toutes aux coutumes de
leur jeunesse. Il avait, petit à petit, remisé la redin-
gote, le haut de forme et la cravate blanche. Il
venait de faire raccourcir ses longues moustaches
gauloises. Il laissait boucler ses cheveux qui ne se
décidaient pas à blanchir et qu'il encourageait un
peu dans cette noble résistance en les oignant soir
et matin d'un cosmétique de sa façon. Il ténorisait
encore, mais plutôt à la cantonade pour ménager
les ressources de son coffre emphysémateux. Il fit
une entrée magnifique :

— Tu n'as pas encore lu la fin de mon livre,
Laurent? Laisse-moi te dire que tu n'es pas curieux.

— Mais, papa, j'ai tant de travail !

— Le travail n'est pas en cause. Les gens de
votre âge manquent d'entrain, d'appétit, de
mordant, enfin, oui, de mordant. Si je le lisais,
mon bouquin, moi je n'en ferais qu'une bouchée.
Je ne m'endormirais pas avant de connaître la fin.
Sache-le, mon cher, la fin est d'un genre tout à fait
philosophique. Je t'ai raconté comment Poutillard
était en train de faire, au restaurant du *Chapon fin*,
un gueuleton à tout casser...

— Non, non, nous étions à l'histoire de la prison.

— Ça, je ne te l'explique pas. Tu verras toi-
même. C'est de la psychologie, comme dit ce far-
ceur de Paul Bourget qui n'a pas plus d'imagination qu'une marmotte et qui est froid comme un
poisson. Non, ne dis pas le contraire : les scènes
d'amour de Bourget, mon garçon, pour quelqu'un
qui sait ce que c'est que l'amour...

— Ram, gémit Mme Pasquier, songe que ta fille est ici.

— Je sais ce que je dis et je ne dépasse pas les bornes du langage académique. Et puis laissons Bourget tranquille. Ça me fait penser aux ordonnances : dix gouttes de Bourget le soir dans une infusion chaude. Pff... Pff... Alors, écoute, Laurent. Poutillard est libéré, grâce à l'intervention du roi des Belges. Il y a une scène, avec Cléo de Mérode. Hu! Hu!

— Es-tu bien sûr, pour les dates?

— Les dates, mon cher, je m'en moque. Dans mille ans, les petits anachronismes n'auront plus de signification. Si je te dis que Rahmsès II a épousé la reine Apsetsitou, tu es bien obligé de me croire, puisque personne n'en sait plus rien. Moi, je travaille pour l'avenir. Bref, Poutillard est libéré. Il n'a perdu ni sa fortune, ni son crédit, au contraire. Il a même quelque chose de comparable à l'auréole du martyre. D'ailleurs, la prison, pour les gens qui ont de grandes idées, est un admirable lieu de travail et de méditation. Alors, Poutillard veut se venger.

— Dis donc, père, j'ai déjà lu ça dans *Monte-Cristo*.

— Tu n'y es pas, mon garçon. Ecoute seulement la suite. Poutillard veut se venger des gens qui, en 1870, lui ont joué cette sale blague, tu sais, l'histoire du faux duel et le train pour la Belgique. Poutillard veut se venger. Il traque ses ennemis, les anciens copains du quartier latin. Il les réduit à l'impuissance et, finalement, il les a tous à sa merci. Toute cette partie du livre est menée de

main de maître. Alors, au moment où Poutillard
va tirer de ces canailles une vengeance terrible,
il pense tout à coup que si ces gaillards-là ne
l'avaient pas forcé, par un stratagème déshonnête,
à prendre le train pour Bruxelles, il n'aurait probablement eu, lui Poutillard, qu'une vie très misérable, une vie de clerc d'huissier. Il pense même
que, selon toute vraisemblance, il aurait été tué
pendant la guerre de 1870 ou pendant la Commune. Poutillard découvre qu'il doit sa belle
carrière à ses mystificateurs. Comment se venger
d'un bienfait? Poutillard renonce à toute vengeance. Il pardonne à ses ennemis et même il les
intéresse dans une affaire de coprah qui rapporte
des fortunes et dont lui, Poutillard, préside le
conseil d'administration. Tu comprends?

— Mais oui, mais oui, dit Laurent. C'est un
sujet très vivant.

— Eh bien! mon cher, les éditeurs parisiens, qui
sont plus ou moins des pantoufles, n'en veulent
pas, de mon Poutillard. Ils font la petite bouche.
Ils parlent de leurs difficultés. L'un d'eux a osé
me dire qu'on ne débute pas à mon âge. J'ai cru
que j'allais lui coller ma main sur la figure.

— Ram! souffla Mme Pasquier dans un soupir
angoissé.

— Pour finir, j'ai mis le doigt sur un bonhomme intelligent. Celui-là comprend ce que c'est
que la bonne littérature. Il a lu mon manuscrit et
sais-tu ce qu'il m'a dit?

— Ma foi non, dit Laurent, c'est difficile à
deviner.

— Il m'a dit qu'on n'avait rien écrit de mieux

depuis la *Princesse de Clèves*. Je te ferai remarquer que je ne suis pas dupe d'un peu d'exagération. Tu sais comme j'aime Balzac et Flaubert et quelques autres... J'ai protesté. La modestie, n'est-ce pas? Eh bien! non, il y revenait. Et il avait des raisons, des raisons d'homme du métier. Enfin c'était très troublant. J'ai bien vu que mon roman lui plaisait, l'enchantait, l'enthousiasmait. Malheureusement, pour le faire paraître, il dit que je dois l'aider, il me demande quatre mille francs.

— Raymond, s'écria Mme Pasquier en marchant vers son mari, Raymond, c'est une folie.

— Laisse-moi parler, je te prie.

— Comment s'appelle cet homme? Ce doit être une canaille.

— C'est un parfait honnête homme. Il s'appelle Angibeaud. Il m'a fait observer très posément que ce n'était qu'une petite avance, une simple mise de fonds, que je rentrerais sûrement dans les frais. Il m'a dit — écoute bien, Lucie — que j'aurais même à n'en pas douter un grand prix littéraire qu'on appelle le prix Goncourt, qu'il en faisait son affaire, qu'il parlerait pour moi aux messieurs de l'Académie... Mais, ma pauvre Lucie, tu as tort de te tourmenter : pour donner quatre mille francs à Angibeaud, il faudrait au moins les avoir.

— Nous ne les avons pas, Raymond.

— Je le sais, fit le docteur d'un air sombre. Je tiens tellement à mon idée que j'ai vu Joseph. Et tu sais, Lucie, tu sais que demander quelque chose à Joseph, ce n'est pas très agréable.

— Pauvre petit! soupira Mme Pasquier, il fait un métier si pénible.

— Oui, oui. N'empêche qu'il est millionnaire et que c'est mon garçon. Sais-tu ce qu'il m'a répondu? Il m'a répondu que prêter de l'argent aux personnes de sa famille, c'est aller de gaieté de cœur au-devant des fâcheries.

— Reconnais, Ram, qu'il y a du vrai là-dedans.

— Mais, dit doucement Suzanne, il me semble qu'autrefois, vous lui en avez prêté, de l'argent : l'année qu'il s'était ruiné.

— J'y ai songé, dit M. Pasquier avec beaucoup de franchise; malheureusement, je ne me rappelais plus très bien si, cet argent, c'était moi qui le lui avais prêté, ou lui qui me l'avait prêté. Avec Joseph, on ne sait jamais.

— C'était nous, dit Mme Pasquier, mais il nous l'a rendu, tu sais, en payant le monument funéraire.

— Oui, non, peut-être. Bah! Laissons Joseph tranquille. J'ai pensé à Ferdinand. Ne pousse pas de soupirs, Lucie : Ferdinand vient de confier toutes ses économies à Joseph. C'est comme un fait exprès. Laurent n'a pas un sou de côté. C'est le genre anachorète. La pauvreté, la chasteté, la science et le désintéressement.

— Papa, je t'en prie.

— Je ne me moque pas, mon garçon. Je constate. Reste Suzanne.

— Je t'ai donné mes deux mille francs, l'an dernier, dit la jeune fille.

— Je ne l'oublie pas, crois-le bien, et si je trouvais à emprunter six mille francs, je t'en rendrais deux mille et je garderais le reste. Malheureusement, sur ton titre, comme sur ceux de tes frères

et sœur, on ne me prêtera guère que quatre mille.
Car tu m'entends, Lucie, j'ai pensé au titre de
Suzanne.

Mme Pasquier venait de prendre soudain ce
visage fermé, serré, lèvres jointes, regard fixe,
qu'elle retrouvait toujours dans toutes les circonstances graves.

— Pauvre Raymond, dit-elle tout bas. Tu n'as
oublié qu'une chose, c'est que Suzanne n'a pas de
titre.

— Comment! Tous les enfants ont eu leur titre
en même temps.

— Ram, poursuivait Mme Pasquier, aie la
patience de réfléchir une seconde. Mme Delahaie,
ma tante, est morte en 89. Elle nous laissait, en
principal, une somme de cinquante mille francs,
divisée en quatre titres de douze mille cinq cents
chacun dont j'avais l'usufruit et les quatre enfants
la nue propriété.

— Comment les quatre enfants? J'ai cinq enfants, nom d'une pipe.

— Ram, n'oublie pas que ma tante Delahaie est
morte en 89 et que Suzanne est née en janvier 92.
Ma tante Delahaie n'a pas pu penser à Suzanne.

— Ah! gronda le docteur, ces Delahaie n'avaient
donc rien prévu!

— Comment peux-tu dire une chose pareille!
C'étaient des modèles de prévoyance.

— Ils avaient tout prévu, gronda le docteur,
sauf ceci : que j'étais quand même capable de faire
de nombreux enfants. Alors, c'est fini, ce titre! Et
moi qui déjà venais de mettre en branle *le Capital
mutuel*... Je sais qu'il reste Cécile. Mais j'ai beau-

coup de répugnance à laisser comprendre quoi que
ce soit de mes affaires à ce sacré garçon... comment l'appelles-tu, mon gendre?

Comme personne ne répondait à cette question
tâtonnante, le docteur se prit à marcher de long
en large en parlant pour les murailles.

— C'est trop fort, grondait-il. On dirait que
tout complote pour m'empêcher de percer, de prendre mon vol, de débuter avec éclat. On dirait que
tout le monde se ligue pour me boucher l'avenir.
Et voilà pourtant un bouquin qui devrait partir
tout seul avec son titre épatant : *Le vent dans les
voiles*. Si la déveine continue, je vais le changer,
mon titre. J'appellerai ça : *Vent debout*. Je ne suis
pas superstitieux, mais ça peut modifier les choses.
Le principal, dans la vie, c'est de persévérer.

— Oh! soupira Mme Pasquier d'une voix faible
et scandalisée. Comment peux-tu dire cela, toi,
Ram, qui changes tout le temps?

— Eh bien! oui, répondit le docteur avec un
sourire ingénu. Je peux me vanter d'avoir toujours persévéré dans le changement. C'est quand
même une des formes de la persévérance.

CHAPITRE XX

LA LOGE DE SUZANNE PASQUIER. UNE RÉPÉTITION DE
BÉRÉNICE. RICHARD COLLABORE AVEC RACINE. LE
CONTEMPTEUR DES POÈTES. QUE LE RÔLE DE PRINCE
CONSORT EST DIFFICILE A TENIR.

Mme Charlemagne dessina d'un doigt attentif
les plis de la jupe à fronces et dit, avec sa voix
sans dents :

— C'est fini pour vous, mon petit. Maintenant,
je vais chez Pascal. Et après, chez la patronne qui
veut me parler, paraît. Et puis, tout ça rangé, il
faudra que j'attrape le dernier métro. Quelle vie,
mon Dieu, quelle vie!

— Pauvre Charlemagne! soupira Suzanne, sincèrement apitoyée.

— Vous en avez pour une demi-heure avant la
sonnette du quatre, bougonnait encore l'habil-
leuse. Je vous mignotterais bien un peu plus tard,
mais il n'y a pas moyen. Trois changements en
dix minutes, et cette garce d'à côté qui crie toujours après moi. Restez bien sage, mon petit.

Toute roide en ses atours de théâtre, Suzanne

197

venait de prendre un livre et commençait à décla-
mer à mi-voix :

Jugez de ma douleur, moi dont l'ardeur extrême,
Je vous l'ai dit cent fois, n'aime en lui que lui-même.

— Tiens, dit Mme Charlemagne au moment de
tirer la porte, vous avez de la visite.

Suzanne laissa retomber le livre et se tourna tout
d'une pièce, avec un geste majestueux.

— Richard ! s'écria-t-elle. Vous êtes dans la salle ?
Comment ne vous ai-je pas vu ? Cécile est-elle avec
vous ?

Richard Fauvet commença par fermer la porte,
fit trois pas, s'inclina par jeu devant la jeune fille,
scintillante dans son fastueux vêtement de cour, et
lui saisit la main qu'il baisa.

— Je vais tâcher, disait-il, de répondre, dans
l'ordre, à toutes vos questions. D'abord, je suis
effectivement dans la salle. Ensuite, vous ne m'avez
pas vu parce que vous ne m'avez pas cherché : je
figure au troisième rang des fauteuils d'orchestre
et bien en évidence. Enfin, je suis seul.

— Pourquoi, dit Suzanne, boudeuse, pourquoi
n'avez-vous pas amené Cécile ?

— Cécile a vu la pièce, petite sœur.

— Vous l'avez vue, vous aussi.

— C'est justement pourquoi l'envie m'est venue
de la revoir, ou plutôt de vous revoir, car la pièce
en elle-même...

— Je pourrais croire, dit Suzanne, que c'est
une pensée charmante et je n'en suis pas bien sûre.

— Pourquoi, mademoiselle ma sœur ?

— Il y a, dans toutes vos paroles, un ton de moquerie, de plaisanterie, de persiflage, plutôt, comme dirait M. Truffier qui est un grand lettré et qui m'a donné mes premières leçons.

— Quelle erreur, Suzanne! Je suis l'homme le plus sérieux du monde et le plus mélancolique. Votre loge est ravissante et vous avez une vue royale.

— Oui, sur le quai. Savez-vous, Richard, que ce n'est pas désagréable? Je passe ici beaucoup de temps. Je ne suis pas du troisième acte, où Mme Sarah Bernhardt tient la scène presque sans arrêt. Alors, dans le jour, je regarde voguer les bateaux et, le soir, j'étudie mes rôles.

Le jeune homme portait un smoking, une chemise blanche, molle, à parure de perles. Il était rasé de près, chaussé et ganté avec quelque élégance. Il se promenait dans la loge, touchant d'un air distrait les meubles et les menus objets rangés devant le miroir.

— Qu'est-ce que c'est que cela? fit-il.

Suzanne partit à rire.

— C'est ma patte de lapin.

— Une vraie patte? A quoi sert-elle?

— A passer la poudre et les fards sur le visage et le cou.

— Voilà, dit Richard, une patte de lapin qui n'est pas à plaindre.

Suzanne avait saisi la patte de lapin et, d'un geste furtif, elle mit au nez du visiteur une petite touche de rose vif.

— Oh! dit-elle en riant, vous avez l'air d'un clown.

Richard se frottait le visage, avec un sourire piqué.

— Méfiez-vous, dit-il, Suzanne, méfiez-vous, je me vengerai.

— Vous savez, dit la jeune fille, que le trois est commencé. Vous allez manquer la grande scène de la patronne.

— Comment vous dire, petite sœur, que je ne suis pas venu pour voir jouer Mme Sarah, que j'admire néanmoins de la manière la plus sincère? Non, non. Je suis venu pour vous et, si vous le voulez bien, je vais passer avec vous le temps de ce troisième acte.

— En ce cas, dit Suzanne, il faut m'aider à répéter. Je travaille, en ce moment, *Bérénice*, que je dois jouer au printemps. Prenez la brochure et donnez-moi la réplique.

— J'espère, dit Richard, que vous allez me confier le rôle de Titus.

— Non, monsieur, sûrement non. J'en suis à la scène du premier acte et vous ferez Antiochus.

— Tant pis! Notez d'ailleurs, ma petite Suzanne, que, si j'étais Titus, je ne renoncerais pas volontiers à une Bérénice de votre apparence.

— Vous n'êtes pas Titus. Allons, commencez là :

Il a repris pour vous sa tendresse première.

— Attendez, dit Richard en posant son chapeau. Il faut que je me mette dans l'atmosphère et dans le mouvement. C'est une scène pleine de flamme et de passion. Tout à fait ce que j'aime...

Il a repris pour vous sa tendresse première.

— A moi maintenant :

Vous fûtes spectateur de cette nuit dernière
Lorsque, pour seconder ses soins religieux...

Suzanne s'était dressée, tout debout devant la glace, et déclamait avec passion. Elle avait une voix non pas très puissante, mais chaude et musicale. Elle était naturellement faite pour jouer Iphigénie ou Aricie mais elle rêvait toujours de jouer Phèdre, Roxane et surtout Bérénice sur les malheurs de laquelle elle aimait de s'attendrir. Elle dit, avec beaucoup de gravité :

Il m'en viendra lui-même assurer en ce lieu.

— J'espère bien, chantonna Richard, qu'il ne viendra pas de sitôt et qu'il va nous laisser tranquilles, ma petite sœur Suzanne et moi.

— Si vous m'interrompez toujours, dit la jeune fille mécontente, je ne pourrai jamais travailler sérieusement.

— Attendez, Suzon ! Me voilà sérieux comme un pape :

Et je viens donc vous dire un éternel adieu.

Là, je suis bien obligé de faire une parenthèse. Je n'ai pas du tout l'intention de dire adieu à ma délicieuse petite sœur.

Déjà Suzanne enchaînait :

Que dites-vous? Ah! Ciel! quel adieu! quel langage!
Prince, vous vous troublez et changez de visage.

Allons, dépêchez-vous, Richard! C'est un travail lamentable. Vous ne m'aidez pas. Vous me paralysez.

— Comment! Comment! Attendez que je m'enflamme :

Madame, il faut partir.

                      — Quoi! ne puis-je savoir

Quel sujet...

                  Il fallait partir sans la revoir.

Je peux vous avouer, ma petite sœur, que je suis comme Antiochus et que je n'aurais pas le courage de partir sans vous revoir.

— Laissez-moi tranquille. Je ne sais plus où j'en suis...

Que craignez-vous? Parlez : c'est trop longtemps se taire. Seigneur, de ce départ quel est donc le mystère?

— Au moins, souvenez-vous que je cède à vos lois...

Ça, ma petite Suzette, c'est plus vrai que vous ne pourriez le croire... Dites-moi, Suzon, vous n'allez pas me faire dégoiser toute cette tartine-là?

— Non, non, allez tout de suite au dernier vers.

— Justement, il est épatant, le dernier vers :

Mon cœur faisait serment de vous aimer sans cesse.

— Ah! que me dites-vous?

— Je vous dis, ma chère Suzon, quelque chose qui mériterait d'être considéré de près.

— Vous êtes insupportable.

— Ne pleurez pas, je continue :

> Je me suis tu trois ans...

— Vous ne savez pas lire, Antiochus dit « cinq ans ».

— Oui, mais, pour moi, c'est seulement trois ans.

> Je me suis tu trois ans,
> Madame, et vais encor me taire plus longtemps.
> J'ai de ma sœur Suzon goûté les tendres charmes.
> Que Suzon me regarde et je lui rends les armes.

La jeune fille se prit à rire.

— Ah! disait-elle, avouez que ce n'est pas très drôle, les gens qui vous entendraient pourraient vous prendre pour un plaisantin, vous qui êtes un monsieur très savant...

> Mais de mon amitié mon silence est un gage.
> J'oublie, en sa faveur, un discours qui m'outrage.
> Je n'en ai point troublé le cours injurieux...

— Vous venez de me promettre le silence, s'écria Richard en riant. Voilà quelque chose entre nous comme une petite complicité.

— Aucune complicité. Je dirai à Cécile que vous ne songez qu'à rire.

— Ça l'étonnera beaucoup. Suzon, ne dites rien à Cécile.

— Et pourquoi, monsieur le traître?

— Parce que Cécile est trop intimidante.

— Et moi, je ne vous intimide pas?

— Non, non! Vous, vous m'enthousiasmez. De quelle étoffe est votre manteau? De taffetas?

— Richard, je suis pleine d'épingles. Si vous vous permettez de mettre la main sur mon costume, vous serez puni tout de suite, car vous vous piquerez. Et, comme vous êtes douillet...

— Je ne suis pas douillet, je suis sensible.

— Continuons à répéter, je vous prie.

— Voilà, Bérénice dè mon cœur :

Et c'est ce que je fuis. J'évite, mais trop tard,
Ces cruels entretiens où je n'ai point de part.

Tralala, tralala, turelure lonlaine...

Madame, le seul bruit d'une mort que j'implore
Vous fera souvenir que je vivais encore.
Adieu.

Assurément, c'est beau, mais c'est un peu rasoir.

— Comment, s'écria Suzanne avec indignation, comment pouvez-vous proférer de telles énormités? Je vous déteste. Je dirai à Cécile que vous outragez l'œuvre des poètes.

— Vous seriez infiniment bonne, petite sœur, en ne mêlant pas le nom de Cécile à cette tragédie. Cécile! Comment vous expliquer?

Le jeune homme, la brochure aux doigts, vint s'asseoir tout près de Suzanne. Il soupira d'une voix douce, voilée :

— J'aime Cécile, je la respecte, je l'admire. Mais je me demande parfois...

— Que vous demandez-vous, monsieur le philosophe, monsieur le raisonneur?

— Si je ne me suis pas trompé...

— Trompé? Je ne comprends pas.

— Oui, oui, trompé dans... dans mon choix. Ce

n'est peut-être pas Cécile que j'aurais dû épouser.

Suzanne partit d'un rire contraint.

— Il parle de choix! Voyez-moi le fat! Cécile est une princesse, monsieur.

— Oh! je le sais. On me l'a dit mille fois depuis que j'ai l'honneur d'avoir pénétré dans votre famille. Savez-vous, Suzon, que je ne me résigne pas facilement au rôle de prince consort? Oh! j'apprécie l'honneur qui m'est fait, mais pas au point d'abdiquer ma personnalité, ni de renoncer à mes penchants.

Rougissante, soudain, la jeune fille s'écria :

— Cécile a laissé tomber son regard sur vous... Savez-vous qu'à vous entendre j'ai failli vous donner une petite claque?

— Cela m'aurait permis de vous baiser le bout des doigts.

— Je vous le défends bien.

— Pourquoi? Vous êtes ma sœur. J'ai le droit de vous embrasser deux ou trois fois par an. C'est peu.

— On va sonner pour le quatrième acte. Ne pourrions-nous parler d'autre chose?

De minute en minute, le visage du jeune homme se colorait, s'échauffait. Il prit ses gants, son chapeau et commença de tourner cérémonieusement autour de la jeune fille.

— Savez-vous, Suzon, que mon article d'hier a bouleversé tout Paris? Mon article de *l'Echo?*

— Non, je ne sais pas. Quel article?

— Vous ne lisez rien. Vous êtes une petite fille. Racine est un grand poète; mais il faut quand même, de temps en temps, lire le journal.

CHAPITRE XXI

AMERTUME DE JUSTIN. DANGER DES THÉORIES POUR LE
BIOLOGISTE. DIALOGUE SUR UNE PIÈCE ANATOMIQUE.
TENTATION DU FINALISME. JUSTIN PERD LE SENS DE
LA VIE. UNE PAGE DU CHEF-D'ŒUVRE. MOURIR LA
MORT D'UN AUTRE. LES POÈTES MANQUENT DE •SANG-
FROID.

Le silence du laboratoire était si pur, si paisible,
que Justin Weill ne put retenir un long soupir
d'amertume.

— J'aurais dû faire de la science, comme toi,
murmurait-il. Ma vie aurait eu un but et j'aurais
vécu dans la paix.

— Qu'est-ce que tu viens me chanter? grogna
Laurent. Ta vie a un but, et un but admirable : tu
as opté pour les lettres...

— Je ne sais pas si je peux croire que j'ai opté,
j'ai parfois le sentiment de besogner, tel un ver,
au fond d'un trou. En outre, il faut que je gagne
un peu d'argent. Comment te dire, Laurent, que
je n'aime plus la vie? Voilà, très exactement, le
malheur qui m'est arrivé.

Justin baissa la tête. A de telles confidences, il

apportait, naguère encore, une pointe d'affectation
théâtrale. Cette nuance qui, presque toujours, suffisait à ramener quelque gaîté dans l'entretien,
s'était, pendant les dernières années, affaiblie puis
évanouie. Dans la poignante et pesante mélancolie
qu'exprimaient le visage et les mouvements du
jeune homme, l'ostentation juvénile n'avait plus
la moindre part. Justin, et il se plaisait à le souli-
gner lui-même avec une pénible ironie, devenait
un gros monsieur à la taille brève, aux traits lourds,
à l'encolure épaisse et lasse.

— Tu te fais des illusions, murmura Laurent,
sur la paix du laboratoire et sur le bonheur des
gens qui s'évertuent dans cette paix. Nous nous
sommes donné pour tâche d'expliquer le monde,
comme vous, les littéraires, mais à notre manière
et avec nos moyens. Sans relâche, nous cherchons
les causes et les raisons, et je veux bien reconnaître
que c'est une belle visée. Malheureusement, tous
ceux qui, parmi nous, s'efforcent d'expliquer le
monde élaborent une théorie et s'enferment presque tout de suite dans leur théorie comme dans
une citadelle. Aussitôt, ils deviennent aveugles,
sourds, insensibles et ils ne voient plus le monde.

Justin écarquilla les doigts, puis écarta les bras
du corps en signe d'incertitude et de détresse. Sur
la table de faïence reposait un cristallisoir plein
d'un liquide jaune d'or dans lequel nageait quelque chose d'informe.

— Qu'est-ce que c'est que cela ? fit Justin Weill
en se penchant sur le vase.

— Tu ne le sais pas ?

— Non, non, je ne vois pas bien, dit Justin,

toujours incliné vers la surface du liquide.

— C'est le larynx d'un homme, fit tranquillement Laurent.

Justin ne put réprimer un mouvement de dégoût
et de recul.

— C'est impossible, disait-il.

— C'est non seulement possible, mais c'est évi-
dent. Voilà le cartilage thyroïde, le cartilage cri-
coïde. Ici, c'est l'épiglotte et, dans le fond, les cordes vocales. Je vais donner un coup de ciseau et te
montrer les cordes vocales.

Laurent avait saisi la pièce anatomique à pleine
main et, l'ayant égouttée, commençait de la divi-
ser dans la longueur.

— C'est impossible, murmurait Justin. Et il y a
eu un homme autour de cette chair décolorée! Un
homme ou une femme! Et cette chose, l'année dernière, le mois dernier peut-être, avait un nom!

— C'est un larynx d'homme, déclara Laurent,
cela se voit. La fiche dit : homme de soixante ans.
Le nom n'est pas mentionné. Le nom est resté en
route. Il est déjà perdu. Mais cette chose, comme
tu le dis, avait un nom. Cet objet était quelqu'un
d'entre nous. Il est passé, dans le petit orifice que
tu vois là, des milliers de mètres cubes d'air qui
ont entretenu la vie pendant soixante ans. Et ces
petits replis que tu vois là, ces cordes, ont parlé,
chanté, gémi pendant soixante ans. Et l'épiglotte
s'est inclinée des millions de fois pour empêcher le
bonhomme d'avaler de travers, et, des millions de
fois, cet orifice-là s'est fermé pour permettre
l'effort. Et la toux a fait vibrer et sauter tout le
misérable système. Et maintenant, je vais l'inclure

dans la paraffine et le couper en tranches minces
pour chercher ce qui m'intéresse.

— Comment une chose pareille a-t-elle pu faire
si long usage? soupirait Justin. Ça n'a même pas
la précision d'une montre, d'une bonne mécanique... C'est vague et mou. Non, non, je préfère n'y
pas toucher. Garde-le et laisse-moi voir. On dirait
que c'est mal fait et bien faible pour l'effort que
cela doit fournir.

— Oui, dit Laurent, quand nous regardons,
nous autres médecins, l'homme vivre et souffrir,
nous sommes souvent tentés de dire qu'il est mal
construit. Avec notre raison raisonnante, nous ne
pouvons pas nous empêcher de voir l'appropria-
tion des organes à l'effet. Les rationalistes les plus
stricts sont obligés, cent fois par jour, de pécher
par finalisme, parce que nous n'imaginons pas, au
fond, que le moindre des phénomènes pourrait être
dépourvu d'une fin. Nous avons tous, en pensée,
reconstruit vingt fois l'oreille, ou l'appareil diges-
tif, ou l'appareil rénal. Mais quoi! l'homme,
l'homme, même au point de vue finaliste, ce n'était
pas œuvre aisée. Il fallait que la machine fût pourtant capable de progresser, de marcher, pour trouver sa nourriture. Et elle marche. Il fallait que les
organes des sens fussent rassemblés à l'avant de
cette carcasse marchante. Et ils y sont rassemblés.
Il fallait que la mécanique pût recevoir ou prendre
des matériaux de restauration et d'énergie. Elle le
peut... Et rejeter les substances usées. Et elle le fait.
Il fallait que toute cette machine vivante, compo-
sée de milliards de cellules, eût même quelque
plaisir à subsister et qu'elle fût avertie du péril par

la douleur et qu'elle se montrât susceptible de se
perpétuer dans l'espèce. Alors, reconnais-le, toutes
ces conditions se trouvent remplies, tant bien que
mal. Et si certains organes nous semblent impar-
faits, c'est peut-être que nous ne sommes pas encore
au point culminant de l'aventure. En outre, l'idée
de perfection est une des obsessions de notre esprit
inquiet. Nous cheminons avec angoisse au milieu
de l'incompréhensible. Je l'ai dit cent fois, Justin,
mais tu ne m'écoutes pas toujours.

— Je ne saurais t'expliquer, murmura Justin, à
quel point la vue de ce morceau d'homme, tout
décoloré, tout fané, me rend triste et me dégoûte.
Il me semble que si j'avais dû vivre, comme toi,
au milieu de ces lamentables débris, je serais mort
de désespoir.

— Tu parles comme un enfant. Tu te serais habi-
tué, comme les autres, comme nous tous. Et tu
aurais vécu pour le mieux avec des problèmes plus
lancinants que le mal de dents. Depuis quelques
mois, je suis littéralement torturé par la question
de la forme chez les êtres organisés. Mais cela ne
t'intéresse pas...

— Si, si, Laurent, continue. Aujourd'hui, ça
me bouleverse...

— ...Simplement parce que tu as vu un morceau d'homme dans ce vase. Il faut aux esprits de
ta sorte des sollicitations soudaines. Je te parlais
de la forme... On imagine volontiers des lois pure-
ment mécaniques pour la matière inanimée. La
sphère, par exemple, est la forme inévitable d'une
masse liquide ou gazeuse abandonnée dans l'espace. Mais la matière vivante... Voilà les cellules

qui se multiplient à partir de l'œuf. Et, toujours,
elles vont pousser dans le même sens, se replier au
même endroit. Toujours, en un point déterminé,
les cellules, à un moment déterminé, vont engen-
drer quelque chose comme un poil ou comme un
ongle, ou comme une glande. Pourquoi? Et à telle
place, dans le pelage ou le plumage, une tache du
même rouge ou du même gris, toujours la même.
Pourquoi? Je le demande. Il est impossible d'expliquer ces choses, et ces choses sont l'essentiel, et ces
choses sont les seules qu'on voudrait vraiment
comprendre. Et quand les cellules se seront
multipliées jusqu'à toucher certaines limites invi-
sibles qui sont les limites de l'espèce, elles s'arrê-
teront, comme si, réellement, elles avaient rencontré un obstacle consistant. Et, ailleurs, elles
ménageront une fossette, et ailleurs un petit canal.
D'où vient cette propriété mystérieuse, inintel-
ligible?

— Tu ne peux savoir, dit Justin, à quel point
ce que tu me dis me trouble et me rend malheureux.

— Tu es un enfant, je te le répète. C'est notre
pain quotidien, à nous autres, gens du laboratoire.

— Hélas! non, je ne suis pas un enfant. Je suis
un homme tout à fait sur le point de perdre le sens
de la vie et qui cherche à se raccrocher, avec des
gestes de noyé.

— Justin!

Laurent tendait des mains amicales, mais Justin
Weill se détourna brusquement comme pour
cacher son visage. Il fit quelques pas et commença

de réciter à mi-voix les vers de ce petit poème qu'il
avait composé naguère :

> Je n'ai pas conquis le monde
> Et ni même un cher amour.
> Je n'ai pas conquis mon âme,
> Je ne me suis pas conquis.
>
> Ambition, ma richesse!
> Désir blessé de m'offrir!
> De l'amer vin de ma treille
> Il faut m'enivrer tout seul.

A percevoir les tremblements de cette douleur
fraternelle, Laurent fut saisi de compassion. Il suivit Justin et le prit par le col d'un geste affectueux,
en silence.

— Non, non, bredouillait Justin, je ne parle pas
de Cécile. Avec le temps, je crois que j'ai fini par
me guérir. Mais l'idée qu'elle pourrait souffrir me
rend presque fou de rage. Allons, c'est fini, c'est
fini, parlons d'autre chose.

Pendant un long moment, les deux amis gardè-
rent le silence. Puis, Laurent, soudain timide :

— J'avais promis à mon père de te montrer son
roman.

— Mais oui, mais oui, prononça Justin d'une
voix raffermie. Pourquoi ne m'en as-tu rien dit?

— C'est très embarrassant. Mon père m'a
raconté le sujet de son livre et je m'y suis laissé
prendre. Il raconte avec tant de naturel et tant de
vivacité que le sujet du livre m'a paru très amu-
sant. Je t'en ai dit quelque chose et tu as reconnu
toi-même que l'anecdote était drôle, qu'elle ne

manquait pas de couleur. Je dois même ajouter qu'une fois de plus mon père m'a fait illusion, une fois de plus il m'a trompé. J'ai pensé qu'il avait écrit sinon un chef-d'œuvre, comme il se plaisait à le proclamer, du moins une œuvre animée, quelque chose enfin qui pouvait lui ressembler. Eh bien! à moins d'une erreur de ma part, c'est tout le contraire. Cette histoire, qu'il raconte avec tant de verve, semble rédigée par un écolier maladroit. Si tu permets, je vais seulement t'en lire une page : tu es un homme de métier et tu jugeras mieux que moi.

De son éternelle serviette de cuir noir, Laurent venait de tirer un cahier. Il l'entr'ouvrit et commença de lire :

« La marquise de Sartrouville éprouvait beau-
« coup de sympathie pour la famille du major-
« dome dont toute sa lignée avait reçu de loyaux
« services, malgré la condition plus que modeste
« de ces braves gens, généralement attachés à leurs
« maîtres dont ils avaient jadis suivi les traces à
« l'heure de l'émigration qui restait un des plus
« nobles souvenirs de famille et, à leur avis, quel-
« que chose comme un de ces titres de noblesse
« qui ne sont pas le privilège exclusif d'une classe
« de la société.

« Ces Poutillard, aimait à dire le marquis, vous
« verrez qu'ils sont si dévoués que quand, au jour
« du jugement, le chancelier du paradis fera
« l'appel et criera Sartrouville, ils se présenteront
« derrière nous pour entrer par la même porte...
« A quoi la marquise ne manquait jamais l'occa-
« sion de répliquer : N'oubliez pas, mon ami, que

« si vous êtes Sartrouville par le sang, vous êtes
« un peu Poutillard par le lait que vous avez sucé,
« dans votre premier âge, de cette digne et plantu-
« reuse nourrice, comme aimait à me raconter la
« comtesse, votre mère, qui regrettait si amère-
« ment de n'avoir pu allaiter ses enfants et parti-
« culièrement l'héritier d'un nom illustre, à cause
« d'une fièvre pernicieuse qu'elle avait contractée
« par suite de l'émotion provoquée dans toute la
« noblesse française à la chute de la monarchie
« de juillet.

« Grâce à la puissante protection du seigneur de
« Sartrouville, le jeune Alfred Poutillard, grandi
« dès le premier âge dans l'ombre de la demeure
« de cette famille historique... »

Laurent reprit haleine.

— Il n'est pas nécessaire d'aller plus loin, dit-il.
Comme c'est drôle! Il raconte l'histoire à merveille, je peux te l'affirmer, et, dès qu'il prend la
plume...

— Oui, murmura Justin en hochant la tête, dès
que l'art doit intervenir, tout devient difficile.
Avoue que c'est assez naturel.

— Le fâcheux, reprit Laurent, est qu'il s'est mis
en tête de publier ce chef-d'œuvre. Il est tombé sur
un éditeur du nom d'Angibeaud qui lui demande
une participation de quatre mille francs.

— Je connais cet Angibeaud, fit Justin. C'est
un corsaire. Car l'édition d'un bouquin de cette
importance matérielle ne doit guère coûter plus de
six ou sept cents francs, il me semble. J'en parlerai à ton père. Je pourrai même, à l'occasion, lui
donner de bons tuyaux.

— Justin, tu es un ange.

— Non, je ne suis pas un ange, mais, malgré vos différends, j'ai toujours eu, pour ton père, une sympathie très vive.

— Oh! fit Laurent, tu parles de nos différends... Crois bien que je ne déteste pas mon père. J'ai seulement toujours peur de le voir se livrer à l'une de ces fantaisies qui ont empoisonné jusqu'ici notre existence. On ne peut lui demander d'être autre que le voici. Je le considère en biologiste, non comme mon progéniteur, mais bien plutôt comme un être d'une espèce distincte de la mienne. Tout change. Nous mûrissons. Papa reste immuable. On dirait que, petit à petit, il sublime son personnage au long des années. C'est sa façon de vieillir. Et tu sais, je prononce le mot de vieillir pendant qu'il n'est pas là...

Laurent s'arrêta, sentant que Justin n'écoutait plus : le jeune homme allait et venait dans le laboratoire, l'air perplexe. De temps en temps, il posait le bout de l'index sur la crête de son nez aux larges ailes palpitantes et il s'exerçait à loucher.

— Iras-tu, dit-il soudain, au prochain concert de Cécile, dimanche après-midi?

— Sans aucun doute, dit Laurent. Nous avons deux loges voisines pour toute la famille. Veux-tu venir avec nous?

— Non, dit Justin brusquement. Non, je n'irai pas avec vous. Mais je pense aller au concert. Non, je n'irai pas avec vous.

— C'est bon, poursuivit Laurent avec un geste évasif. Tu feras ce que tu voudras.

— Non, je ferai ce que je pourrai. Maintenant,

parlons d'autre chose. Penses-tu souvent à la mort?

— Quelle question! Un biologiste, du moment qu'il étudie la vie, étudie nécessairement la mort.

— Oui, tu penses à la mort en savant : A + B + 3 CH = O.

— Tu te trompes. Je pense à la mort en homme et même... comment t'expliquer? Il m'est arrivé de mourir. Tu vas comprendre. Dans mon enfance, peu de temps avant de te connaître, j'avais un ami qui s'appelait Désiré Wasselin.

— Tu m'en as déjà parlé. Il s'est suicidé, n'est-ce pas?

— Oui, il s'est pendu parce que son père avait volé deux mille francs et avait été mis en prison. J'aimais Désiré Wasselin. Sa mort, un jour, je l'ai sentie, je l'ai éprouvée, je l'ai, si l'on peut dire, vécue : la corde autour du col, les efforts, les dernières pensées, la langue qui sort entre les dents, tout. Ce ne sont pas de ces choses que l'on éprouve plus d'une fois. Je n'ai jamais retrouvé ça. Je ne suis mort qu'une seule fois de la mort de Désiré. Comprends-tu ce que je veux dire?

— Je comprends très bien. Moi, je meurs presque chaque jour et ce n'est pas en rêve, je t'assure, c'est le matin en m'éveillant, quand je vois toute ma journée devant moi.

Laurent frappa vivement ses deux mains l'une contre l'autre.

— Jamais plus, s'écria-t-il, je ne te parlerai de biologie. Tu n'as pas la tête assez solide. Tu es un poète. Tu manques trop de sang-froid.

CHAPITRE XXII

Jamais, dit le Dr Pasquier, nous ne tiendrons
tous dans cette bonbonnière. Parlez-moi des loges
de l'Opéra! C'est royal. On pourrait s'y faire servir
à souper. Et il y a, dans le fond, un divan pour les
rêveurs et les amoureux. Mais ici, nous serons
serrés comme des dattes dans une cassette.

— Ram, fit Mme Pasquier, nous disposons de
deux loges. Pourtant j'avoue qu'il m'est agréable
d'avoir mes enfants près de moi. Je suis fière de
mes enfants.

Richard Fauvet demeurait debout dans l'ouverture de la porte.

— Si vous le permettez, dit-il, j'irai dans la loge
voisine. Donnez-moi seulement Suzanne, pour me
tenir société.

Mme Pasquier roulait des yeux inquiets.

— Non, non, laissez-nous Suzanne.

— Maman, reprit le jeune homme, donnez-moi

217

la petite sœur. Elle connaît beaucoup mieux que
moi la musique et les musiciens. J'ai besoin de
ses avis.

Suzanne faisait le geste de s'éventer avec son
programme.

— Ce n'est pas souvent, fit-elle, qu'on vous
trouve aussi modeste.

— Allez, dit le Dr Pasquier, nous poursuivrons
l'entretien par-dessus la cloison qui n'est pas insurmontable. Pour me plaire à la musique, il faut que
j'aie toutes mes aises.

La salle commençait de s'emplir. Richard fit
asseoir Suzanne au premier rang de la loge encore
vide et prit place à côté d'elle.

— Quelle foule! Quelle foule! disait-il en regardant le grand théâtre où s'accrochaient de toutes
parts des grappes et des festons d'auditeurs. Les
musiciens ne connaissent pas leur chance. Que de
ferveur! Que d'empressement! Nous autres, philosophes ou gens de pensée, nous ne pouvons jamais
compter sur pareille affluence. Descartes viendrait
ici pour donner une lecture du *Discours de la
Méthode*, il n'y aurait pas cent personnes.

— C'est étonnant, dit Suzanne avec ingénuité.
On pourrait croire, à vous entendre, que vous êtes
jaloux.

— On aurait tort de le croire. Je me borne à
constater un fait, une réalité sociale. Regardez, on
ne sait plus où mettre les nouveaux arrivants.

— Vous savez bien que c'est toujours ainsi
quand Cécile paraît au concert.

— Oui, je commence à le savoir. Soyez sûre que
j'en suis très fier.

— Pourquoi posez-vous votre main sur la mienne, Richard? Ne trouvez-vous pas qu'il fait très chaud?

— Non, je suis assez frileux. Je me sens votre frère, devant la loi, comme disent les Anglais. J'ai le devoir de vous protéger. J'affirme ce devoir, qui est aussi un privilège, en posant ma main sur la vôtre. Je ne connais rien de plus doux que votre main, mademoiselle ma sœur.

— Regardez sans en avoir l'air dans la direction de l'avant-scène, côté jardin. Connaissez-vous ce monsieur barbu qui porte des cheveux épais, presque noirs? C'est Claude Debussy. Quand Cécile avait quatorze ou quinze ans, Debussy est venu la voir à la maison. Nous étions alors presque très pauvres. On m'a raconté cette visite. Je ne peux me la rappeler, j'étais trop petite. Pourquoi mettez-vous votre chaise si près de la mienne? Je vous assure qu'il fait très chaud... Attendez, j'aperçois quelqu'un... Tenez, derrière Fauré.

— Je ne connais pas Fauré.

— Ce personnage à cheveux blancs, à la belle tête somnolente. Derrière lui, c'est Justin Weill. C'est exaspérant, on dirait que Justin Weill s'applique à ne pas regarder de notre côté.

— Vous m'obligeriez beaucoup, petite sœur, en n'attirant pas l'attention de ce monsieur Justin Weill.

— C'est un ami d'enfance de Laurent. Je l'ai toujours connu.

— Je le connais aussi, mais je préfère ne pas le reconnaître.

— Pourquoi?

— Je ne sais comment vous expliquer, Suzon, que je ne l'aime pas.

— Comment? Ah! oui, je comprends. Que la vie est compliquée! On ne peut parler de personne devant personne.

— Vous vous trompez. On peut toujours parler de Suzon devant Richard.

— Reculez-vous un peu. C'est très gênant. Vous savez que tout le monde vous regarde. Ce doit être à cause de cet article que vous avez publié la semaine dernière dans *l'Echo de Paris*.

— Peuh! Les gens qui sont ici se moquent pas mal de moi. C'est vous qu'ils regardent, ma très belle sœur, et ils ont bien raison.

— J'entends maman qui tousse. Je crois qu'elle n'est pas contente de me savoir avec vous.

— Pourquoi? Vous m'étonnez. Votre mère a l'esprit de famille. Elle ne peut trouver drôle que je me plaise dans la société de notre petite sœur. J'ai, depuis trois ans, assisté, sans erreur possible, à tous les concerts que Cécile a donnés à Paris. Jamais je n'ai vu si brillante assistance. Qu'allons-nous entendre? Je devrais pourtant le savoir.

— Le concerto en ré mineur, d'abord. Puis le concerto brandebourgeois pour violon, flûte et piano, puis... regardez donc le programme. J'entends Laurent, il vient d'arriver dans la loge des parents.

— Nous le verrons après le concert. Si j'allonge le bras, je peux toucher la jaquette du docteur votre père. Nous ne sommes pas dans une île déserte, rassurez-vous.

— Je suis toute rassurée. Vous ne me ferez jamais peur.

— Voyez-vous ça! Méfiez-vous, belle téméraire! Regardez, Suzon, les gens se préparent à recevoir leur plaisir. Ils se calent dans leur fauteuil, ils tâchent d'oublier leur corps. Ils se mettent vraiment en position de... Ne craignez rien, je ne dis, devant les jeunes filles, que ce que je veux bien dire. La musique, pour tous ces gens, ce n'est pas un plaisir intellectuel, c'est quelque chose comme un vice, oui, un vice que l'on peut avouer.

— Oh! s'écria Suzanne, vous n'êtes pas musicien!

— Heu... Il s'agit de s'entendre. Un peu moins que Baudelaire et un peu plus que Gœthe.

— Vous choisissez généreusement les termes de comparaison.

— Petite sœur, l'esprit vous vient. Un jour, vous serez redoutable.

— Taisez-vous : voilà Cécile.

— Et on ne peut plus vous parler quand Cécile entre en scène?

— Non! maintenant, c'est la musique.

— Vous êtes intoxiquée, comme les autres.

— Silence. Applaudissez!

— Suzette, vous comprendrez que, par modestie, on n'applaudit pas sa femme.

Cécile vient de paraître et suit une étroite venelle entre les violons de l'orchestre. Elle porte cette longue robe toute blanche qui, depuis le premier jour, depuis le premier concert qu'elle a donné, petite fille, est son vêtement sacerdotal. Une chaude rumeur d'accueil, d'amitié, de confiance, monte

aussitôt de la multitude. Les mains jaillissent,
pâles, frémissantes et travaillent toutes ensemble
pour un immense applaudissement.

Il y a quinze ans déjà qu'entre Cécile et cette
foule fut scellée l'arche d'alliance. Des musiciens
habiles, il en est, par le monde, sans doute plusieurs centaines, peut-être des milliers. Ils ont tous
reçu des dons admirables, tous ont travaillé durement pour obtenir de leur nature quelque faveur
inouïe, quelque grâce incomparable. Ils ont trouvé
des fervents, suscité des disciples, on les aime, on
le leur marque, on sait les remercier et les récompenser. Mais la foule musicienne, celle qui réunit,
aux grands jours, les savants et les néophytes, les
maîtres et les écoliers, les pauvres et les riches, les
princes et les mendiants, cette foule a compris, dès
le début de l'aventure, qu'il n'y aurait qu'une
Cécile.

Les sons appartiennent à tous, ils sont à la merci
de tous. Que l'on heurte le clavier, et la mécanique
travaille. Les cordes, frappées du marteau ou
grattées par la plume, se prennent toujours à
vibrer. Mais que Cécile pose les mains sur les
touches de l'instrument et, ce que l'on entend, ce
n'est pas un son, c'est, dirait-on, l'âme même de
Cécile. Et bientôt, nous ne savons plus si ces pures
harmonies se produisent dans l'instrument ou
dans la substance de notre être.

Les gens qui viennent écouter Cécile chérissent
tous la musique, mais ils n'ont pas tous la même
âme. Tous apportent avec eux leur fardeau de joies
ou de peines. Voilà que la joie de l'un trouve à
s'accomplir soudain; voilà que la douleur de l'autre

s'enrichit, s'épure, devient intelligible et belle.

Ces gens qui sont assemblés dans la caverne du théâtre, ils ont éprouvé, tout le jour, des limites et des contraintes, ils ont mesuré leur faiblesse, leurs manques, leurs défaillances et leurs hésitations. Et, tout à coup, un être humain, fait comme eux d'argile misérable, leur donne le sentiment d'une pensée qui serait sans erreur, sans faille, sans tache, sans obstacle et qui s'élancerait, parfaite, vers les clartés d'une autre vie. Tous les hommes, toutes les femmes se recueillent dans une paix profonde. Ils savent que, pour un temps, la délivrance va leur être accordée.

Cécile a fait, avant de s'asseoir, ce très léger mouvement du col que tous ceux qui l'aiment attendent comme le signe même de l'amitié. Maintenant elle est assise et tout de suite l'orchestre part. Cécile commence à jouer. Le piano bâille vers la foule, tel un monstrueux coquillage, et ceux qui sont au ras de la scène voient les doigts de la jeune femme reflétés dans le bois luisant du couvercle ainsi que dans un sombre miroir.

Cécile ne regarde pas ses mains. Elle ne regarde pas non plus la baguette du chef d'orchestre. Les yeux de Cécile cherchent, dirait-on, quelque chose dans la pénombre de la salle. Il semble soudain que Cécile ait vu ce qu'elle cherchait. Alors elle fait effort pour se reprendre, et le beau regard, dompté, revient naviguer, tout droit, parmi les reflets de l'ébène, parmi les lueurs de l'ivoire. Le visage de Cécile est ordinairement immobile, impassible, comme celui d'une statue. Tous ses amis le savent. Aujourd'hui, le visage de Cécile se contracte et souffre.

— Vous jouerez ce soir, petite sœur, vous serez à votre théâtre? demande Richard tout bas.

— Mais oui, je joue tous les soirs. J'aurai à peine le temps de dîner après le concert. Pourquoi me parlez-vous? Il faut écouter Cécile. Comprenez combien c'est beau.

— Une oreille pour Jean-Sébastien Bach, et l'autre oreille pour Suzanne. Vous n'imaginez pas comme votre jolie voix s'accorde, en contrepoint, avec la musique de l'ancêtre.

— Taisez-vous, je vous en prie. Je ne suis pas aussi intelligente que vous et je ne peux écouter et parler en même temps.

Cécile s'est arrêtée une seconde, puis elle a commencé de faire entendre un chant très lent, très grave, qui devrait être serein, qui devrait être d'une mélancolie céleste. Et voilà que le chant n'est ni serein ni céleste. Il devient petit à petit haletant, farouche, et bientôt déchirant et sourdement furieux. Tout le peuple du théâtre sent obscurément qu'il se passe quelque chose d'extraordinaire et d'inquiétant. Mille poitrines commencent à respirer péniblement. Une sourde angoisse va s'emparer de toutes ces âmes qui ne comprennent pas ce qui tourmente l'âme de Cécile, mais qui sentent que Cécile souffre et qui ne peuvent pas ne pas souffrir avec elle.

— Permettez, dit Richard, que je passe mon bras sous le vôtre, petite Suzon, comme cela; bien doucement, comme le frère et la sœur qui se promènent sur une route, dans la campagne, au matin.

— Non, non, laissez-moi. Je suis sûre que Cécile est malade. Ecoutez, vous ne sentez pas? Vous ne devinez rien?

— Je connais très bien Cécile et je vous affirme que tout est parfaitement normal. Qu'est-ce que c'est que ce parfum que je respire dans votre fourrure?

— C'est le trèfle incarnat. Je vous prie de vous taire et d'écouter tranquillement.

— Ce que vous me demandez est au-dessus de mes forces.

— Cécile vous a regardé, Richard, j'en suis certaine.

— Mais non, Cécile se moque bien de moi. Elle ne pense qu'à sa gloire.

— Croyez-moi, vous vous trompez. Cécile est habituée à cette gloire. On dirait que vous êtes jaloux.

— Non, je ne suis pas jaloux. Cécile est insaisissable. Cécile ne m'aime pas.

— Je ne peux pas écouter... Taisez-vous.

— Laissez-moi vous prendre la main et je me tiendrai bien sage.

Cécile vient soudain de se libérer, de s'élancer, toutes amarres rompues, dans le dernier mouvement du premier concerto. Soulagement de s'abandonner aux fureurs de la vitesse. Et, tout à coup, c'est l'arrêt. La salle entière reprend haleine. Les applaudissements font un bruit d'orage qui ne veut pas finir. Cécile s'est retirée derrière un portant, dans la coulisse du théâtre. Elle ne voit rien, elle

n'entend plus rien. Elle est ivre de pensées qu'elle
ne peut plus contenir, qui ne se laissent pas maîtriser.

Il faut recommencer, déjà. Non, Cécile ne regardera plus dans la salle. Elle est tout entière avec
ses mains, tout entière avec le prodige de ses doigts.
Eh bien! non, une prière fait son chemin, obstiné-
ment, dans la forêt des harmonies : « Seigneur,
pourquoi me demandez-vous la seule chose que je
ne voulais pas donner? Pourquoi m'imposez-vous
la seule épreuve que je ne voulais pas subir? Seigneur, ayez la grande bonté de me rendre indifférente et glacée pour le restant de mes jours.
Seigneur! Ne laissez pas un sentiment honteux
régner sur mon cœur. Seigneur! Seigneur! »

L'orchestre vient de se taire. Cécile va demeurer
seule, Cécile va jouer toute seule cette longue,
longue cadence qui dure plusieurs minutes. Non,
Cécile ne regardera pas dans la salle. Il faut que,
pour la grande méditation, elle soit seule en tête-
à-tête avec l'ombre du vieux magicien Bach. Et
Cécile s'élance, elle se jette d'un seul mouvement
à travers l'espace infini du silence.

Là-bas, dans l'ombre de la loge, Richard vient
de s'incliner une fois encore vers les cheveux
de la jeune fille. Il prononce, tout bas, tout bas,
de sa voix caressante, des mots que personne
n'entend.

Alors Cécile fait une chose extraordinaire. Elle
est au milieu du chant, peut-être au milieu d'une
mesure, et elle s'arrête, tout à coup. Elle s'arrête et
jette vers la salle un regard chargé d'angoisse. La
multitude attend, attend, en proie à on ne sait

quelle frayeur inexplicable. Le silence dure une
minute entière, une minute interminable. C'est
comme si l'ange de la musique avait perdu la
mémoire.

Là-bas, dans le demi-jour, deux têtes s'éloignent
l'une de l'autre... Alors, avec lenteur, avec peine,
Cécile Pasquier retrouve son chemin parmi les
notes. Le peuple du théâtre pousse un long soupir.
Puis, tout à coup, c'est la folle course du dernier
mouvement, l'espèce de charge guerrière.

Quelques instants encore et Cécile est seule,
enfermée à double tour dans la loge pleine de
fleurs. Elle respire par secousses comme quelqu'un
qui va sangloter. Elle entend des gens qui passent
en parlant dans le couloir. L'un d'eux dit tout
haut : « Vous n'y étiez pas ? Moi, je venais d'entrer
dans le foyer. Le petit homme aux cheveux roux
l'a regardé droit dans les yeux et il lui a donné
tout à coup une paire de gifles. Il paraît que c'est
à cause d'un article paru dans les journaux. Un
article sur la guerre balkanique. Il a fallu les
séparer. L'autre était blanc comme un mort. »

CHAPITRE XXIII

DEVANT UNE PORTE CLOSE. LUEURS SUR DES CENDRES.
BREF DIALOGUE SUR LES GIFLES ET LE COMBAT SIN-
GULIER. CÉCILE DEMEURE INFLEXIBLE. UNE REN-
CONTRE AU PETIT JOUR.

Il était près de huit heures du soir quand Richard Fauvet regagna la rue de Prony, escorté de
ses amis Emmanuel des Combes et Eugène Roch.
Comme la servante le prévenait que Cécile, souf-
frante, ne descendrait pas dîner, le jeune homme,
sans répondre, lui jeta son chapeau, son manteau,
ses gants au passage et fut avec ses compagnons
s'enfermer dans le fumoir.

L'entretien dura peu. Des Combes et Roch don-
nèrent plusieurs coups de téléphone et se retirèrent
tout de suite, l'air sévère et perplexe.

Un grand silence tomba sur la maison. De
l'étage supérieur arrivaient, par bouffées, d'imper-
ceptibles rumeurs de voix, parfois un rire d'enfant,
puis un bruit régulier comme peut en produire un
siège sur lequel une personne se berce et dont les
pieds viennent rythmiquement battre le sol feutré
par les tapis.

Le jeune homme prêta l'oreille pendant quelques minutes. Des rougeurs fugitives naissaient et mouraient sur ses joues blêmes. De sa bouche dure, serrée, s'échappait parfois une respiration sifflante. Il prit la peine de se regarder dans le miroir, de lisser avec la paume les mèches de sa chevelure, de rajuster sa cravate, puis il gagna, d'un pas pressé, l'étage supérieur.

Richard, le plus souvent, frappait à la porte de Cécile d'un doigt rapide, puis il entrait sans même attendre la réponse. Il fit ainsi, mais la porte était fermée à clef, de l'intérieur, et refusa de s'ouvrir.

Un long moment, le jeune homme resta debout sur le palier, devant cet obstacle muet. Enfin il cria, l'accent courroucé : « Cécile! » Presque aussitôt la voix de Cécile retentit derrière la porte. Elle était si proche que l'on pouvait imaginer Cécile debout contre la muraille.

— Que voulez-vous, Richard? disait cette voix très basse et très calme.

— Cécile, je veux vous parler.

— C'est impossible, impossible. Je ne vous verrai de deux jours. Il faut que je me prépare à l'idée de vous revoir.

— Cécile, gronda le jeune homme, je vous prie d'ouvrir cette porte. L'heure est grave, je vous assure.

— Je le crois, Richard, je le crois, mais je n'ouvrirai pas ma porte. Et si quelqu'un l'ouvre tout à l'heure pour les besoins de la vie, je vous demande, Richard, de ne pas en profiter.

— Cécile, je veux entrer tout de suite.

— Je vous prie de n'en rien faire.

— Je vais aller chercher le serrurier. Je ferai sauter la serrure.

Il y eut un moment de profond silence et la voix de Cécile retentit de nouveau, toujours basse, toujours égale.

— Si vous employez la force pour entrer chez moi, ce soir, contre mon gré, je dois vous assurer que je me tuerai devant vous au moment même où vous passerez la porte. Je le ferai.

Le jeune homme se courba soudain. Il parlait d'une voix très douce, devant le trou de la serrure.

— Je suis, disait-il, à l'une des heures les plus dramatiques de ma vie. Il faut que je vous explique...

— Plus tard, vous me parlerez plus tard.

— Et si plus tard est trop tard ?

— Je n'y peux rien. Il faut attendre.

Richard ne put maîtriser un mouvement de fureur.

— Dites-moi ce que je vous ai fait.

— Vous avez fait cette chose que vous ne deviez pas faire. Je vous avais prévenu.

Le jeune homme frappa du pied deux ou trois fois, sur le plancher, et le vaisseau de l'escalier rendit un frémissement sonore. A ce moment, le téléphone vibra dans les profondeurs de la maison. Richard Fauvet redescendit.

De nouveau, le silence. Richard se promenait à grands pas furieux dans l'espace libre du fumoir. Aux servantes déconcertées qui vinrent demander des ordres il déclara qu'il n'avait pas faim et qu'il attendait encore des visites, mais que ce n'était point sûr.

Vers dix heures du soir, un coup de timbre retentit dans le vestibule. C'était, apportée par un
exprès, une lettre cachetée à la cire et dont la sus-
cription portait le nom de Cécile. Richard considéra quelques instants l'enveloppe et l'écriture
qu'il ne reconnaissait point. Il dit, avec un geste
las : « Portez cette lettre à Madame. » Puis il prit
un cachet de véronal et se jeta sur le divan.

Cécile était encore dans sa belle robe de concert.
Elle avait longtemps chantonné pour endormir le
petit garçon. Elle regardait, d'un œil calme, la
fidèle Félicienne qui passait d'une chambre à l'autre, expédiant les petites besognes du soir.

Cécile ouvrit l'enveloppe sans hâte. Elle avait
d'anciennes raisons d'en connaître l'écriture. On
ne voyait, sur la feuille, que peu de lignes, mais
tracées d'une main ferme et volontaire.

« *Madame, chère Cécile, mon amie, ne craignez
rien, je vous en prie, pour l'homme dont vous avez
accepté le nom. Je ne lui ferai pas de mal. Je ne me
défendrai pas. Mais si la mort veut de moi, je suis
obligé de vous dire qu'elle sera la bienvenue. Votre
ami malheureux*, JUSTIN. »

Cécile était debout, devant la cheminée, où voletaient encore les dernières flammes d'un feu de
bûches. La lettre entre ses doigts tremblants, la
jeune femme revoyait, en souvenir, l'écolier aux
cheveux rouges, au grand nez, à la bouche mobile
qui venait, rougissant et bredouillant, s'asseoir
pendant des heures, près du piano, dans le creux
de l'étroit logement, là-bas, au temps du Jardin des
bêtes sauvages. Elle revit l'étudiant disert, enthou-

siaste, romantique, trop bref de stature, peut-être,
mais beau de cette beauté biblique, orientale,
étrangère, des jeunes Israélites au sortir de l'adolescence. Dans le silence de cette soirée douloureuse, Cécile entendit la voix chantante, trop bien
timbrée, trop théâtrale, qui, longtemps et toujours
en vain, et parfois même avec une sourde irrita-
tion, l'avait priée d'amour. Puis Cécile se rappela
le temps de la Pâquellerie, quand le jeune homme
gémissait : « Je comprends mieux votre génie que
vous ne le comprenez vous-même... Acceptez-moi,
aimez-moi, et je deviendrai un grand poète. » Tout
aussitôt, Cécile entendit une voix douloureuse,
offensée, qui criait encore, par-dessus le désert des
années mortes : « Ma vraie patrie est où vous êtes.
Pourquoi me repoussez-vous ? Est-ce parce que je
suis juif ? » Mille autres souvenirs jaillissaient,
comme autant de lueurs, des cendres d'un si long
amour, de cette passion sans espoir, sans joie, sans
récompense et pourtant fidèle encore, saignante et
brûlante encore.

Petit à petit, les mains de Cécile retombaient le
long de sa robe. Alors, des yeux de la jeune femme
jaillirent deux larmes brillantes qui rebondirent
sur sa robe et tombèrent sur le tapis.

La nuit passa, pour toutes ces âmes anxieuses,
dans le silence et l'insomnie. Au matin, Richard se
vêtit avec recherche, lut les journaux dont plusieurs mentionnaient l'incident de la veille, fit
venir une voiture et partit en donnant l'adresse
d'un armurier du centre.

A peine le jeune homme sorti, survinrent plusieurs visiteurs. Les servantes avaient reçu des con-

signes rigoureuses et gardaient porte close. Vers
onze heures, presque au même instant, arrivèrent
Laurent et le Dr Pasquier. Ils furent introduits
dans le vestibule, apprirent que Fauvet n'était pas
à la maison et que Cécile, malade, ne pouvait recevoir personne, pas même son père, pas même son
frère Laurent, qu'elle leur demandait pardon, mais
qu'elle avait grand besoin de recueillement, de
silence et d'obscurité.

Les deux hommes, debout au pied de l'escalier,
écoutèrent ce message et n'osèrent passer outre.
Puis ils se mirent à deviser, d'abord à voix basse,
enfin de façon plus animée.

— Je me demande, soufflait le docteur, comment ce garçon, mon gendre, a pu s'aviser de donner des claques au petit Weill.

— Mais, papa, c'est exactement le contraire,
c'est Justin qui a souffleté Richard, hier, à la fin
du concert.

— Ah! tu m'en diras tant! Ça ne m'étonne qu'à
moitié. Je trouve Richard très insolent dans sa
façon de regarder. Oui... oui... on ne donne pas
assez de claques.

— Qu'est-ce que tu dis, papa?

— Je dis, mon cher, qu'on ne donne pas assez
de claques.

— Parle plus bas. C'est invraisemblable...

— Si j'avais, reprit le docteur en s'efforçant de
baisser le ton, si j'avais donné toutes les claques
que j'ai eu envie de donner dans mon existence,
mon cher, ç'aurait été une véritable pluie de claques. Mais je me suis retenu. Alors, ils vont se
battre en duel?

— C'est malheureusement possible.

— Pourquoi, malheureusement? Je suis le plus pacifique des hommes, mais j'aurais beaucoup aimé me battre en duel, — pan! pan! fendez-vous! — et embrocher une demi-douzaine d'adversaires. Tu vois, en écrivant l'histoire d'Alfred Poutillard, je ne pouvais pas m'imaginer que je me trouverais tout à coup si près de la réalité.

— Oh! fit Laurent, pensif, ce n'est pas la même chose.

— Assurément non, l'histoire de mon Poutillard est beaucoup plus pittoresque. Tu sais, mon cher, qu'en venant ici je suis passé chez Joseph. Je pensais l'amener avec moi. Sais-tu ce qu'il m'a répondu?

— Non, vraiment non, je n'imagine pas souvent les réactions de Joseph.

— Il m'a répondu qu'il était préférable, dans un moment si délicat, de s'abstenir de visite, que c'était l'élémentaire discrétion. Dis-moi, Laurent, l'as-tu lu, toi, cet article de *l'Echo de Paris?* Je comprends très bien qu'on se batte, mais pas pour des histoires de Turcs, de Balkaniques et de philosophie. On se bat pour la gloire, pour les femmes et pour l'amour.

— Chut! Tu ne peux t'empêcher de parler fort. Allons-nous-en, papa.

— Si tu veux, mon cher. Nous n'allons pas rester plus longtemps dans ce corridor. Puisqu'on ne peut pas voir Cécile, allons-nous-en, mon garçon. Il faut que je rassure ta mère. Elle ne lit pas les journaux. Je vais toujours lui dire que l'affaire est arrangée.

Le père et le fils s'éloignèrent en devisant dans la matinée que traversaient les fugitives clartés de mars. Le silence, de nouveau, ronronna dans la maison. Richard ne revint qu'à la tombée de la nuit et il eut, avec Roch et des Combes, ses témoins, une dernière entrevue. Justin Weill avait choisi, pour le représenter, un vieil ami de leur jeune temps, le docteur Chabot, qui venait d'achever l'internat des hôpitaux, et l'un de ses confrères de lettres, un grand garçon qui semblait avoir passé la quarantaine, qui montrait un visage en même temps osseux et tendre, un beau regard loyal, inquiet, fraternel. Il s'appelait Léon Bazalgette et venait de se faire connaître par des traductions du poète américain Walt Whitman.

Bazalgette et Chabot avaient fait de sincères efforts pour réconcilier les adversaires, mais ni Fauvet, ni Justin n'avaient admis l'idée d'une médiation. Finalement, la rencontre parut inévitable. Elle fut fixée au lendemain matin et Richard Fauvet, se jugeant avec raison l'offensé dans cette affaire, choisit le pistolet.

On était au lundi soir et le lendemain du concert. Fauvet, revêtu de sa longue robe de chambre, son foulard de soie blanche au col, parfaitement maître de lui, une lueur glacée dans les yeux, monta de nouveau jusqu'au second étage. Il ne prit même pas la peine de mouvoir le bouton de la porte et se contenta de crier d'une voix très claire et sèche : « Cécile, m'entendez-vous ? »

Un silence mortel suivit pendant lequel Richard étreignit la rampe et la secoua rageusement. Puis il cria de nouveau, sans hâte, en séparant bien les mots pour être entendu :

— Cécile! Je me battrai demain matin, au pistolet, avec M. Justin Weill. Je ferai tout ce que je pourrai pour tuer M. Weill.

Le silence revint et on entendit la voix de Cécile, un peu faible, mais très nette, qui disait :

— Que Dieu ait pitié de vous! Que Dieu ait pitié de nous tous!

— Refusez-vous de me voir? dit encore le jeune homme.

— Je ne peux pas, Richard; mais je vais prier pour vous.

Fauvet haussa les épaules et descendit s'enfermer dans son cabinet de travail.

La rencontre eut lieu le lendemain matin, dans une propriété privée qu'un parent d'Emmanuel des Combes possédait à Boulogne. Jusqu'à la dernière minute, M. Chérouvier avait fait de vains efforts pour décider Justin Weill à présenter des excuses. Justin refusait de faire des excuses et Fauvet n'acceptait pas d'en recevoir.

Le directeur du combat, escrimeur de grand renom, dut, à la demande expresse de Fauvet, disposer les adversaires à la plus courte distance prévue par les lois du duel. Justin était calme et sombre, Richard nerveux, pâle, les canines au ras des lèvres. On entendit les mots rituels : « Attention! Feu!... » Les bras se levèrent ensemble. « Une.. deux... trois... » Au troisième commandement, Justin leva tranquillement la main et tira vers les nuages, cependant que Richard, ayant ajusté avec soin, tirait au corps et manquait le but.

Les pistolets furent remplacés. Long dans son pardessus au col doucement râpé, le visage décomposé de répugnance et de colère, Léon Bazalgette jurait tout bas :

— C'est absurde et révoltant! C'est presque un assassinat. On ne peut pas recommencer.

Le directeur du combat lui fit observer qu'une seconde reprise était prévue, d'accord avec les combattants. La cérémonie recommença. Au troisième commandement, Justin leva le bras et tira vers le haut des arbres. Fauvet venait au même instant de décharger son arme. Justin fit un pas en avant et tomba sur le côté.

Chabot et le chirurgien s'étaient aussitôt précipités pour examiner le jeune homme. Justin disait : « Je suis sûr que ce n'est rien. La hanche. Une égratignure... » Le chirurgien, d'un coup de ciseau, divisait les vêtements que le sang poissait déjà.

— Non, disait-il, ce n'est pas grave. Une simple plaie en séton.

— Acceptez-vous, dit le directeur du combat, l'idée d'une réconciliation?

— C'est inutile, fit Justin.

Le directeur du combat se hâtait d'un groupe à l'autre.

— M. Fauvet, dit-il en revenant vers les témoins de Justin Weill, M. Fauvet refuse aussi l'idée d'une réconciliation. Tout est fini, messieurs. Faites avancer la voiture.

CHAPITRE XXIV

LE VIEUX PRÊTRE ET SON ÉGLISE. UNE CONSULTATION
DÉLICATE. L'ÉGLISE A PRÉVU TOUTES LES DÉTRESSES.
CÉCILE S'ÉLOIGNE DANS LES TÉNÈBRES.

L'abbé Scholaert secoua d'abord sous le portail
sa pèlerine pesante de pluie, puis il poussa la porte
et, tout de suite, il respira l'odeur familière de son
église, l'odeur d'encens, de cire consumée, de
pierre et de cave tiède. A nuit close, l'abbé voyait
mal clair, juste assez pour se diriger le long des
maisons. Mais, dans l'église, il était chez lui, il
connaissait la place des piliers, les marches des
chapelles, l'entrée de son confessionnal; il devinait les chaises errantes, les tâtait et les écartait de
la main.

Face aux lointaines lampes du chœur, il mit un
genou à terre, dit quelques mots de prière et se
releva en soupirant parce que le rhumatisme commençait de lui déformer les jointures.

A ce moment, une ombre longue et légère se
dressa devant le prêtre. Une voix à peine sensible
murmurait : « Mon père! Je vous attendais. »

L'abbé tendit le col avec ce mouvement anxieux
des gens que la vue trahit. Il disait, bégayant et
reniflant :

— Mademoiselle... Madame... Que voulez-vous?

— Mon père, vous ne connaissez pas mon visage. Mais vous me reconnaîtrez peut-être plus tard. Je suis une de vos pénitentes. Je vous attends depuis longtemps.

— Mon enfant, vous savez que ce soir je ne confesse pas.

Le vieux clerc se défiait un peu de ces âmes tourmentées, scrupuleuses, qui ont, de la pénitence, un besoin maladif et qui le poursuivaient parfois, aux moments que, recru de fatigue, il souhaitait le repos pour faire oraison, pour s'assoupir peut-être dans la paix d'une longue prière murmurante.

— Ce n'est pas l'absolution que je viens vous demander, mon père, c'est un conseil.

Le vieil homme fit, des épaules, un geste naïf et las; il cherchait à différer un peu l'instant d'un effort qu'il ne mesurait pas bien, mais qui l'effrayait pourtant.

— Demain, mademoiselle, madame, demain, voulez-vous? Après ma messe...

— Mon père, c'est urgent et grave.

— Alors, venez. Nous irons à la sacristie, je crois qu'il n'y a personne.

La sacristie était déserte en effet. L'abbé Scholaert paraissait résolu soudain. Bègue et bougon, peu soucieux de déguiser le rustique accent du Nord qui lui restait de son enfance passée dans la Flandre française, le prêtre cherchait des chaises d'une main tâtonnante, en disant des paroles vagues, que la visiteuse n'écoutait même pas.

— Cette sacristie est triste. Mais bientôt la nouvelle église sera tout à fait terminée. Nous serons beaucoup plus à l'aise. Asseyez-vous, mon enfant.

Cécile commença de parler et, tout de suite, le vieil abbé secoua la tête.

— Je vous connais. Oui, je reconnais votre voix. Pardonnez-moi, la journée est longue et, le soir, je suis très las. Qu'il me soit possible de vous donner ce que vous attendez de moi !

— Mon père, je suis mariée, mais non pas devant l'Eglise. Mon père, je pourrais, je devrais chanter des actions de grâces : le ciel m'a comblée de ses dons. Mon père, cela aurait pu me suffire. Excusez-moi. Je dis les choses sans ordre. Je suis musicienne...

Le vieil homme leva la main.

— Ne prononcez pas votre nom. J'aurai plus facile à juger si je ne sais pas votre nom. D'ailleurs, je ne sais rien du monde.

— Mon père, je me suis mariée hors de l'Eglise. Je ne pensais pas à Dieu. Personne autour de moi ne pensait vraiment à Dieu.

— Pourquoi, demanda le prêtre, ne m'avez-vous rien dit en confession ?

— Je ne savais pas qu'il fallait le dire.

— Aimez-vous votre mari ?

— Pardonnez-moi, mon père, j'ai pensé que je finirais peut-être par l'aimer.

— Vous ne l'aimiez pas au moment de l'épouser. Pourquoi l'avez-vous épousé ?

— Mon père, comment vous dire ? Je voulais un enfant. Je n'imaginais même pas que je pourrais vieillir sans avoir un petit enfant.

— Pourquoi donc avez-vous choisi ce mari-là plutôt qu'un autre ?

— Je n'ai pas choisi, mon père. Il y a des filles que l'on voit heureuses, adulées, entourées d'amis. Et l'on croit qu'elles n'ont qu'à choisir, à étendre la main. Mon père, ce n'est pas vrai.

— Il y a peut-être des choses que vous ne me dites pas.

— C'est que je ne les comprends pas.

— Vous avez un enfant, maintenant?

— Oui, mon père, un beau petit garçon.

— Que voulez-vous encore?

— Mon père, je n'aime pas mon mari. Je pense même qu'il me fait horreur. Puis-je me séparer de lui? Je ne suis pas mariée selon l'Eglise, mais seulement devant la loi.

L'abbé serrait les mains l'une contre l'autre d'un air mécontent et malheureux.

— Pourquoi demandez-vous conseil à un vieux prêtre ignorant? Pourquoi ne consultez-vous pas les docteurs de la loi?

— Mon père, ce n'est pas aux docteurs que je m'adresse, mais à Dieu.

L'abbé Scholaert baissa la tête et resta silencieux un long moment :

— Attendez, mon enfant, bégayait-il à mi-voix. Au point de vue du droit canon, les textes sont formels, vous n'êtes pas mariée. Vous pourriez vous séparer de votre époux. Mais...

— Mais quoi, mon père?

— Mais vous avez quand même choisi cet homme pour compagnon. Vous devez vous humilier et vivre de votre mieux avec le père de votre enfant. Pourrez-vous l'épouser un jour selon l'Eglise?

— Mon père, c'est impossible, il ne voudra jamais.

— Vous savez que l'Eglise a prévu toutes les détresses et qu'elle peut, même ainsi, ne pas vous abandonner, sanctifier votre union.

Cécile demeurait silencieuse. Le prêtre attendit un moment et murmura :

— Que Dieu vous aide à souffrir ! Il vous aidera.

— Et si je ne peux pas...

Le vieux prêtre fit des épaules un geste de tristesse.

— Pour souffrir, on peut toujours. Je vous assure que l'on peut toujours.

L'abbé Scholaert se prit à tousser, longuement, difficilement, comme un vieil homme que tenaille un rude catarrhe incurable. Il disait, entre deux accès :

— Ma pauvre enfant ! Que c'est douloureux ! Je voudrais pouvoir étendre les mains et vous renvoyer contente. Pardonnez-moi, je ne peux pas. Mais la paix vous sera donnée. Revenez me voir, mon enfant, revenez bientôt !

Cécile, debout dans la lueur de la lampe, attendait, attendait et ne se décidait pas à s'en retourner, toute seule, à travers les ténèbres de l'église

CHAPITRE XXV

FACE A FACE. L'AME REBELLE VA-T-ELLE S'HUMILIER ?
UN MOT QU'IL NE FAUT PAS PRONONCER. L'AUTRE
DUEL. UN HOMME LIBRE. BAIGNOIRE D'AVANT-SCÈNE.
RETOUR A LA MAISON.

Il était plus de huit heures du soir. Cécile, ayant
refermé la porte de sa maison, commença de gravir les degrés de l'escalier sans allumer les lampes.

Elle parvenait au premier étage et la lueur tombée de la verrière supérieure éveillait faiblement le
bois de la rampe et les cadres de la muraille, quand
une main, surgie de l'ombre, saisit la jeune femme
à l'épaule.

— Cécile, disait la voix de Richard, voulez-vous
m'accorder, ce soir, la grâce d'un entretien ?

La voix, en dépit des mots, n'était pas sup-
pliante, mais ironique et corrosive.

— Si vous le voulez, répondit simplement Cécile.

— En ce cas, faites-moi l'amitié d'entrer dans
mon cabinet de travail.

Le jeune homme tirait Cécile par le bras et, tout
aussitôt, la lumière tomba du plafond, cruelle,
éblouissante.

— Vous n'allez pas rester debout, dit Richard. Prenez place dans un fauteuil. N'avez-vous point dîné?

— Non, je n'ai pas faim.

— A votre aise, mon amie.

Cécile venait d'entrevoir que Richard était en smoking et tout prêt à sortir, car son chapeau, ses gants et son manteau semblaient l'attendre, en bon ordre, sur la table. Comme s'il répondait à la pensée de sa femme, le jeune homme dit en s'asseyant au bord du divan :

— Je ne suis pas pressé, veuillez le croire. Mais j'aurai le regret de ne point passer ici la fin d'une soirée que, d'ailleurs, vous ne m'auriez probablement pas consacrée. *

— Je ne sais comment vous dire, prononça la jeune femme d'une voix lasse, je ne sais comment vous dire que votre raillerie, oui, cette façon moqueuse que vous avez de me parler, m'afflige et me semble sans objet. Après ces deux jours de retraite, je n'ai pas l'intention, croyez-le, de vous chercher querelle.

Richard, fermant à demi les paupières, observait la jeune femme. Il n'avait point cet air dolent, accablé qu'il affectait d'habitude, mais il semblait, au contraire, ne pouvoir dominer une vive surexcitation nerveuse.

— Vous savez sans doute, fit-il brusquement, que je me suis battu ce matin et que je n'ai pas eu la chance de tuer M. Justin Weill.

— C'eût été, voulez-vous le reconnaître, une chance très horrible.

— Nous ne jugeons pas l'événement sous le

même jour. Au surplus, je n'ignore pas que
M. Weill a été de vos amis.

— Je connais Justin depuis dix-sept ou dix-huit
ans, répondit Cécile avec simplicité. Ne cherchez
point à me blesser à propos de cette amitié, ce
serait indigne de l'homme intelligent que vous
êtes.

Richard écoutait, moins attentif aux mots qu'à
l'accent. Tout, dans l'attitude et dans les réponses
de Cécile, marquait non seulement la fatigue, mais
encore une volonté de conciliation, de fléchisse-
ment, de concorde.

— Richard, dit-elle soudain, si je vous prie de
rester à la maison, ce soir, prendrez-vous cette
prière en considération ?

— Je ne saurais dire, fit le jeune homme, que
cette prière — le mot est de vous, Athéna — ne me
touche pas. Elle semble marquer un désir d'armistice auquel je commençais à ne plus croire.

Richard venait de se lever. Il ne pouvait dissimuler une sorte de joie âcre et brûlante, à l'idée
qu'il était encore victorieux, dans ce duel comme
dans l'autre, que Cécile allait céder, que peut-être
il arriverait à fléchir cette âme rebelle et si bien
défendue.

— Je me demande, fit-il soudain, quel plaisir
vous pourriez éprouver à me retenir à la maison,
ce soir, contre mon gré, alors que je ne suis pas
même assuré de jouir du sommeil si vous me laissez seul.

— Il ne s'agit pas de plaisir; mais j'ai réfléchi,
pendant ces amères journées. Si nous voulons continuer de vivre ensemble, il nous faut trouver une

règle et faire de notre mieux pour nous y tenir. Le premier sacrifice que je vous demande est faible.

— Ne l'appréciez pas, je vous en conjure. Seul celui qui consent le sacrifice a qualité pour en prendre la mesure. Je note, Athéna, que vous venez, en deux mots, d'envisager une séparation et de répondre, provisoirement peut-être, par la négative. C'est une solution qui me touche plus que je ne saurais dire et si j'y vois un effet de cette belle foi religieuse...

— Je vous en prie, ne faites pas intervenir ma foi religieuse dans cet entretien.

— Vous n'êtes pas conséquente avec vous-même, Cécile. Quand je vous ai prévenue, hier au soir, que j'étais à l'heure la plus dramatique de ma vie, vous n'avez pas laissé de faire intervenir votre religion, vous m'avez pieusement répondu que vous alliez prier pour moi.

— Qu'avais-je à faire d'autre, Richard? Comment vous dire que je ne pouvais souhaiter ni votre défaite, ni votre succès, et que la prière est le seul remède à de telles angoisses? Voyez comme je suis calme, Richard, et comme je suis patiente. Vous ne m'entraînerez pas hors de la voie que je me suis tracée. Je vous ai posé une question. Je vous ai fait une demande et vous ne m'avez pas encore répondu.

— Quelle demande, Athéna?

— Il est impossible que vous l'ayez oubliée déjà. Je vous ai demandé de ne pas sortir, ce soir, de consacrer ainsi la trêve entre nous deux. En somme, je vous demande un gage. Il est modeste. Tout vous incline à me le donner. Vous venez de vivre une journée très épuisante. Vous êtes de santé fragile et, depuis trois ans, vous n'avez cessé de me le dire. Restez ici. Reposez-vous. Soignez-vous.

Richard se prit à rire.

— J'admire, disait-il, le souci que vous prenez de ma santé. Je vais très bien. Je ne sais comment vous faire entendre que je ne me suis jamais si bien porté.

— Oui, dit Cécile en fermant doucement les poings, la dureté vous réussit.

— Méfiez-vous, Cécile, je vous sens sur le point de sortir de ce beau calme dont vous me donnez depuis un quart d'heure le spectacle édifiant. Mais quoi! Vous n'allez pas vous obstiner dans un caprice. Que vous importe de me savoir ici ou là! Vous êtes une femme supérieure, Cécile; mille fois vous me l'avez fait comprendre et sentir. Les jeux de la jalousie sont tout à fait indignes de vous.

— Je vous ai déjà demandé, reprit Cécile en serrant les mâchoires, de ne jamais prononcer ce mot devant moi, ce mot que vous venez de dire. Je ne comprends pas quelle sorte d'affreux plaisir vous pouvez prendre à me torturer et même à m'humilier ainsi.

— Je ne saurais vous humilier en prononçant le mot de jalousie. Vous ignorez tout de cette triste passion.

— Détrompez-vous. J'ai connu des malheureux qui souffraient de jalousie et leur souffrance m'inspirait une véritable horreur.

— Une horreur tout à fait objective, Athéna.

Vous n'avez aucune raison d'être jalouse de ce petit monsieur sans talent, sans esprit et sans importance que vous avez eu le grand tort de prendre pour mari.

Cécile se leva, fit deux ou trois pas au hasard, non vers la porte, mais vers la muraille, vers des images qu'elle était seule à percevoir.

— Vous avez raison, dit-elle âprement, on ne peut être jaloux de quelqu'un qu'on n'aime point.

Richard fit, pour sourire, un effort qui le défigura.

— Quelle belle franchise! soupirait-il. Il ne faut pas beaucoup vous pousser pour obtenir la vérité.

Il y eut un grand moment de silence, puis le jeune homme dit encore :

— Il n'est pas facile d'être votre mari, Cécile.

— Pensez-vous qu'il soit aisé d'être votre femme?

— Pourquoi donc m'avez-vous choisi? Car il y a de votre faute. Vous pouviez m'écarter, me décourager, vous ne l'avez quand même pas fait. Allons, répondez, cette question mérite réponse.

Comme Cécile restait silencieuse, le jeune homme reprit avec rage :

— Vous m'avez laissé peu d'illusions. Vous n'avez jamais voulu me tutoyer, même aux instants où l'on peut espérer quelque mouvement d'abandon. Pourquoi m'avez-vous épousé? Pour mes œuvres et mes travaux? Vous ne les connaissez guère. Pour mon humble nom? Vous ne le portez pas. Pour avoir une compagnie que vous semblez dédaigner? Pour la fortune? Je n'en ai pas et vous

en avez une immense. Pourquoi? Je vous le
demande une fois encore.

Cécile fit, des épaules, un geste las et répondit,
comme pour elle-même :

— J'étais, au fond, trop heureuse. Je jouissais
des dons que j'avais reçus. Je n'avais presque
jamais l'occasion de souffrir. Je souffrais, obscurément, peut-être, de ne pas souffrir.

— Et vous avez compté sur moi pour assumer
cette mission délicate de faire souffrir Cécile.

— Non, non, taisez-vous. Je pensais vous avoir
montré, Richard, que je voulais... Non, non, laissez-moi ne rien dire.

— Il est trop tard, Cécile. Il est vraiment trop
tard. Achevez votre pensée.

— Comment n'avez-vous pas compris que je
voulais un enfant? Notre destin, à nous autres, est
de créer l'enfant.

— Oui, oui, dit doucement Richard, et vous
aviez besoin d'un... mettons d'un associé.

— Ne cherchez pas, je vous en prie, les expres-
sions humiliantes.

— Certes non, poursuivit le jeune homme avec
le même pâle sourire. J'en suis à me demander si
cette espèce de choix n'est pas, en même temps,
honorable et, permettez le mot, dérisoire. Pourquoi moi, Cécile? Ne craignez plus de me blesser,
j'ai de bons durillons aux places les plus exposées.

— Je ne songe pas à vous blesser. J'ai réfléchi,
croyez-le bien. Je me disais que vous étiez intelligent. Je ne vous connaissais pas comme je vous
connais aujourd'hui... Je pensais que, chez nous,
les Pasquier, nous étions trop instinctifs et qu'un

enfant pourrait tirer bénéfice de cette sorte d'intelligence qui est en vous et dont je pensais être vraiment dépourvue et que... j'ai parfois admirée.

— Et vous vous êtes dit tout cela? fit Richard en remuant rêveusement la tête.

— Je crois avoir pensé tout cela. Je n'en suis même pas très sûre.

— Avez-vous aussi pensé, poursuivit Richard en relevant les yeux, avez-vous pensé que cet enfant n'est point uniquement à vous et que j'aurais le droit, un jour futur, peut-être même un jour prochain, d'en réclamer la possession?

— Oh! répondit Cécile avec un regard bleu pâle, ce froid regard Pasquier qu'elle ne pouvait plus contenir, si vous deviez jamais essayer de me prendre mon enfant, sachez bien que je vous tuerais. Je suis, moi, très adroite de mes mains, et je ne vous manquerais pas.

Richard venait de se lever à son tour et, pendant une longue minute, les deux époux restèrent debout face à face.

— Et maintenant, dit Richard, il me semble que cet entretien a bien assez duré. Permettez-moi de prendre congé.

Cécile ne semblait pas avoir entendu. Ses sourcils, qui étaient sombres et nettement tracés, remuaient comme des bêtes vivantes. Elle haletait :

— Je ne vous en veux plus que d'une chose : c'est d'avoir excédé ma patience, de m'avoir fait quand même céder... oui, de m'obliger enfin à m'avouer vaincue. Richard, une fois encore, ne sortez pas.

— Je me demande ce qui pourrait désormais m'en empêcher.

— Ecoutez, dit Cécile. Ecoutez bien, Richard : je ne sais où vous allez...

— Vous ne pouvez pas le savoir et vraiment que vous importe?

— Mais, si vous allez où je pense... êtes-vous sûr de ne pas créer un conflit tout à fait contraire au but que vous poursuivez? Comprenez-moi bien, Richard.

— C'est difficile.

— Etes-vous sûr, en rompant avec votre femme, de ne pas rendre impossibles certaines rêveries, certaines ambitions dans lesquelles vous avez peut-être le triste courage de vous plaire.

— Voilà des subtilités auxquelles vous me permettrez d'avouer que je ne comprends pas grand'-chose. Et qui parle de rompre avec ma femme?

— Ne sortez pas, Richard.

— Je ne saurais vous dire, Athéna, combien m'est intolérable l'idée d'être attaché. Laissez-moi donc sortir, Athéna, donnez-moi congé.

— Ne m'appelez pas Athéna. Ce nom me déplaît et ne me convient pas. Une fois encore, Richard, je vous demande de rester ici, ce soir.

— Je sortirai, Cécile. Il m'est désormais nécessaire de me prouver à moi-même que je suis un homme libre.

— Si vous sortez d'ici, maintenant, Richard, vous ne reviendrez pas, vous ne pourrez revenir, je ne vous laisserai pas revenir.

— Vous m'étonnez, Cécile. La loi vous donne tort, je pense que vous le savez.

— La loi n'a pas de sens dans le drame qui nous tourmente. Ne sortez pas, Richard.

— Et moi je vous dis : laissez-moi donc aller, de votre plein gré.

— C'est impossible, Richard.

— Au revoir, Cécile.

— Non, non, Richard, c'est adieu que vous venez de me dire.

Le jeune homme saisit son chapeau et son manteau, fit un léger salut de la tête et se lança dans l'escalier.

Quelques secondes plus tard, Cécile entendit se fermer avec un bruit de caveau la pesante porte de la rue. La jeune femme réfléchit un moment puis gagna l'étage supérieur.

— Félicienne, dit-elle, donnez-moi mon vêtement noir, ma toque et ma fourrure.

Comme Cécile, ainsi vêtue à la hâte, se disposait à sortir, elle dit encore :

— Qu'est-ce que c'est, Félicienne? Ecoutez, le petit chantonne, mais ce n'est pas sa voix habituelle. On ne dirait pas qu'il chante. Pourquoi ne dort-il pas encore?

— Je vais aller voir, Madame.

Déjà Cécile descendait en courant les degrés de l'escalier.

Il était plus de neuf heures du soir et Cécile eut quelque mal à trouver une voiture. Elle dut marcher jusqu'au parc Monceau, puis jusqu'au boulevard Malesherbes. Elle courait presque, les lèvres serrées, tirant jusqu'à les déchirer sur ses gants qui refusaient de se boutonner.

Elle finit par apercevoir un taxi maraudeur et elle cria, la voix défaillante :

— Au théâtre Sarah-Bernhardt.

La course était longue et la jeune femme eut le temps d'ajuster sa voilette, de fermer jusqu'au bas son long manteau, de contenir les battements de son cœur et de mettre dans ses pensées l'ordre, sinon la mesure.

Au guichet du théâtre, elle obtint une baignoire d'avant-scène dont elle fit monter le volet, puis elle s'installa dans l'ombre et commença d'inspecter la salle. Presque tout de suite elle aperçut Richard au milieu de l'orchestre. Le jeune homme semblait pâle et nerveux. Il portait au revers du smoking une grosse fleur de gardénia.

Dès le début du second entr'acte, Richard se leva, dit quelques mots, d'un air fort animé, à deux ou trois personnes qui l'arrêtaient au passage et s'engagea dans le couloir. L'absence fut longue. Cécile avait retiré ses gants. Elle s'aperçut tout à coup que le rideau venait de se lever sur le troisième acte et que Richard n'était pas à sa place. Avec ses brefs ongles de pianiste, Cécile commença de gratter la rampe de bois qui la séparait de la salle. Le bruit qu'elle faisait et non la douleur finirent par la réveiller de l'espèce de léthargie où elle se trouvait engloutie.

A la fin du troisième entr'acte, Richard reparut soudain. Cécile vit tout de suite qu'il avait, pendant l'absence, perdu le beau gardénia crémeux qui décorait sa boutonnière.

La jeune femme se leva, sortit dans le couloir désert et partit en trébuchant. Elle s'aperçut, au bout d'un long moment, qu'elle avait quitté le théâtre, qu'elle marchait le long de la Seine et qu'un vent froid s'était levé, mouillé d'aiguilles de grésil. Une voiture errait devant les grilles du Louvre. La jeune femme l'arrêta.

Un quart d'heure plus tard, elle ouvrait d'une clef hésitante la porte de sa maison. A peine avait-elle pénétré dans l'ombre du vestibule, elle eut le sentiment que la maison ne dormait pas. Presque aussitôt, elle entendit, tombé des hauteurs, un cri, un long cri d'enfant, ce cri jamais encore perçu mais que toute mère imagine et qu'elle reconnaît aussitôt comme l'appel même de sa chair.

Cécile se lança dans l'escalier noir en ramassant à deux mains les plis de sa longue jupe.

CHAPITRE XXVI

Les yeux grands ouverts, le visage blanc, les
lèvres décolorées, l'arête du nez fine et luisante,
le petit garçon élevait, du fond de son lit, vers le
visage maternel, un regard sérieux, fixe, effrayé.
Il tenait la jambe droite repliée, sa main droite,
au-dessus du drap, ramait avec des gestes tâton-
nants.

Cécile, un long moment, soutint l'effort de cette
interrogation silencieuse. Aucune plainte, aucun
élan. L'enfant semblait se recueillir dans l'attente
d'un nouvel assaut de la mystérieuse douleur.

La jeune maman n'avait pas pris le temps de
retirer ses vêtements d'hiver encore imprégnés
par l'air glacial de la nuit. Le petit garçon fris-
sonna puis, tout à coup, il ouvrit une bouche aux
lèvres distendues, une bouche dans le fond de
laquelle on voyait trembler la langue, et il se
reprit à gémir et à pleurer. Cécile, en hâte, quittait son manteau, arrachait toque et voilette, jetait
ses gants au hasard. Puis elle se mit à genoux
devant la nacelle blanche.

255

— Depuis quand, Félicienne, depuis quand souffre-t-il ?

— Il commençait de se plaindre au moment que vous partiez.

— Il fallait me rappeler.

La servante ne répondit rien. La crise, une fois encore, semblait s'éloigner. De nouveau, les yeux ouverts, l'air attentif, l'enfant s'immobilisait dans l'attente.

— Vite, dit Cécile, téléphonez au docteur Joire, et, s'il ne répond pas, allez le chercher, ramenez-le, tout de suite. Je reste près du petit.

Un long moment passa pendant lequel on entendit un bruit d'appels et de sonneries, puis le grondement de la porte, dans les profondeurs de la maison. Le silence tomba. Félicienne était partie. De temps en temps, l'enfant cessait de se plaindre et, dans le calme profond, Cécile percevait, à travers planchers et tentures, la voix des deux servantes qui veillaient à la cuisine, espérant, peut-être, ou des ordres, ou des nouvelles.

Il était une heure du matin quand l'enfant commença de vomir. Les efforts qu'il fit alors entraînèrent un redoublement des souffrances et Cécile allait s'abandonner à l'angoisse quand le docteur arriva.

C'était un vieux praticien timoré, aimable, aux gestes méticuleux. Il était allié, de loin, à la famille de Fauvet et avait même engagé le jeune homme, quelques années auparavant, à des études médicales que Richard, esprit inquiet, venait de déserter bien avant leur achèvement. Le docteur habitait aux environs et se montrait de bon conseil.

Il entreprit d'examiner le petit garçon, ce qui n'allait pas sans peine. L'enfant n'était pas d'âge à répondre aux questions. Il se contentait, de ses petites mains maladroites, de saisir les doigts du médecin pour les écarter en criant. Puis il se remit à vomir.

— C'est embarrassant, disait le docteur en mordillant sa moustache blanche. Il n'a pas beaucoup plus de 38°. Mais le pouls est assez rapide. Il n'y a quand même pas lieu de s'affoler pour une colique. Je le reverrai demain.

Il prescrivit des compresses fraîches et une potion calmante dont il rédigea la formule soigneusement en laissant paraître sur sa figure de barbon une petite lippe d'écolier.

Comme le docteur quittait la chambre, Richard se montra dans l'entrebâillement de la porte.

— Que se passe-t-il? murmurait le jeune homme.

— Docteur, dit Cécile, ayez la bonté d'expliquer à mon mari que le petit garçon est malade, qu'à votre avis ce n'est pas grave, et que je vais veiller ici. Mon mari doit avoir un très grand besoin de repos. Priez-le de se mettre au lit.

Cécile entendit les deux hommes qui parlementaient sur le palier. Le vieux praticien grondait :

— Je sais tout. J'ai lu les journaux du soir. Vous n'ignorez pas que vous êtes passible de poursuites judiciaires. C'est une bien extraordinaire folie. Si vos parents vivaient encore, ils vous feraient de grands reproches et ils auraient raison. Pour l'enfant, c'est assez peu clair; nous verrons demain matin! Allez vous coucher tout de suite.

Les deux voix s'enfonçaient petit à petit dans
l'escalier, puis le silence régna. Un peu plus tard
Félicienne revint avec une bouteille. L'enfant but
la potion, difficilement, entre deux accès du mal
et ne tarda pas à vomir le peu qu'il en avait pris.
Cécile, à genoux devant le lit, s'efforçait d'appli-
quer et de maintenir des compresses que l'enfant
repoussait ou arrachait en pleurant.

Les heures de la nuit passèrent lentement ainsi,
tantôt dans les gémissements et tantôt dans la torpeur. Il y eut, à l'heure des premières voitures,
comme la ville commençait de se dégourdir en
grognant, une accalmie plus longue, eût-on dit,
que les autres, et Cécile espérait l'allégement, mais
l'enfant gardait les yeux ouverts dans l'ombre.
Et soudain revint la douleur.

D'instant en instant, le cerne des paupières se
creusait, blêmissait. L'arête du petit nez allait
s'amincissant. Les narines battaient avec rapidité.
Cécile eut soudain le sentiment d'un grave et terrible péril. Elle pria Félicienne de lui donner du
papier et une plume. Et là, toujours à genoux,
s'appuyant au lit de l'enfant, elle écrivit ce billet :

*Cher Laurent, mon petit Sandry est malade,
peut-être même très malade. Viens avec Félicienne.
Viens tout de suite. J'ai grand besoin de toi.*
CÉCILE.

Félicienne, une fois de plus, boutonnait sa
longue pèlerine. Cécile dit :

— Tâchez de trouver une voiture et dépêchez-
vous, mon amie.

La servante revint une grande heure plus tard.
Elle ramenait Laurent.

Le jeune homme, sans un mot, marcha jusqu'au lit de l'enfant. Il resta là quelques minutes, attentif, silencieux, puis il tira le drap, doucement, très doucement, et regarda le petit corps, la poitrine haletante, le ventre dur et immobile. D'un doigt léger, il effleurait la peau moite, et l'enfant, tout aussitôt, de pousser de nouvelles plaintes.

— Sœur, dit Laurent, je ne suis pas chirurgien...

— Pourquoi dis-tu « chirurgien? »

— Parce que, si je ne me trompe, c'est affaire de chirurgien.

— Mais, s'écria Cécile, le docteur Joire est venu cette nuit même, il n'a pas parlé de cela.

— Sœur, je peux me tromper...

— Non, non, murmurait Cécile, si quelqu'un se trompe, ce n'est probablement pas toi.

Elle restait là, devant ce lit, les mains jointes, le souffle court, les yeux dilatés, visiblement sur le point de succomber à la détresse.

— Ils ne sont pas très nombreux, dit pensivement le jeune homme, ceux qui sont capables de résolution dans la chose à laquelle je pense. Mais il faudrait se hâter.

Cécile tendit les mains.

— Va, Laurent, dépêche-toi!

Deux longues heures passèrent encore. Il faisait déjà grand jour quand Cécile entendit une voiture s'arrêter devant la porte, puis des pas pressés sur les marches.

— Excusez-moi, monsieur, disait la voix de Laurent, mais l'affaire me semble grave.

Le visage de l'homme qui parut alors, Cécile

devait le revoir, au long de toute une vie, dans les
longues nuits sans sommeil où l'âme, inlassable-
ment, fait comparaître hommes et choses et
reconstruit, trait pour trait, touche par touche,
ombre après ombre, l'histoire de ses épreuves.

Il était d'une taille à peine au-dessus de la
moyenne, vigoureux et vigilant, les muscles toujours en éveil comme ceux d'un animal merveilleusement adroit et ménager de ses gestes. Il tenait
la nuque fléchie de manière insensible, dans la
position de celui qui regarde, qui observe et même
qui épie. Le col semblait peu mobile, mais les
yeux viraient très vite sous des sourcils épais,
des yeux toujours en mouvement, toujours en
éveil. Il portait des cheveux drus, soignés, lustrés
et une courte barbe où brillaient déjà quelques
fils gris. Le visage et l'attitude, tout exprimait une
volonté tendue, sans distraction souhaitée, sans
défaillance possible.

Il prit à peine le temps de saluer Cécile et ne
s'arrêta que devant le petit malade. Deux belles
mains circonspectes entrèrent aussitôt en action.

— Aucun doute, disait le chirurgien d'une voix
nette, précieuse, un peu grêle. Aucun doute, mon
pauvre ami.

Et soudain, tourné vers Cécile :

— Veuillez vous retirer, madame. Une minute
seulement.

Puis, à Laurent, de nouveau :

— Pasquier, vous avez raison; mais il est beaucoup trop tard. Qui donc a vu l'enfant d'abord?

— Un vieux médecin de famille.

— C'est très fâcheux, mon pauvre ami. On a

perdu plusieurs heures. Ah! voici que l'enfant
recommence à vomir. Il est trop tard, Pasquier.
Deux ans et trois mois, dites-vous... D'abord, c'est
assez rare. Et c'est presque toujours très grave.
Porter l'enfant à la clinique, vous comprenez que
c'est maintenant presque impossible. Veuillez
appeler votre sœur.

Cécile n'avait point encore quitté ses vêtements
de ville. Elle venait sans doute de prier car, sur
ses traits fatigués, rayonnait une lueur de courage
et d'espérance.

— Docteur, dit-elle en s'avançant, est-ce qu'il
ne va plus sourire?

Pour poser une question en même temps si
simple et si anxieuse, le visage de la jeune femme
s'efforçait laborieusement à composer un sourire
plus douloureux que des larmes. Le chirurgien se
recueillit un long moment. Ce qu'il avait à dire
lui paraissait amer.

— Madame, prononça-t-il enfin de sa voix
stricte et serrée, la maladie dont souffre votre petit
enfant exige une opération.

Cécile ouvrit les mains, paumes en avant :

— Opérez-le, docteur. Je vous le remets, je vous
le confie.

— Madame, reprit le praticien en détournant
les yeux, comment vous dire que l'opération, pour
être bienfaisante, aurait dû être exécutée dès hier
soir, après les premières douleurs?

Cécile se prit à trembler de tout son corps.

— Opérez-le, docteur. Si vous l'opérez tout de
suite, je suis sûre qu'il est temps encore.

— Je ne sais pas, madame. Il faudrait transporter l'enfant à la clinique et le transport me semble désormais bien dangereux en lui-même.

Cécile se jeta soudain sur les mains de ce magicien sévère; elle les avait saisies dans les siennes et les secouait avec passion.

— Tout de suite! Docteur, opérez mon enfant ici, dans cette chambre, tout de suite. Vous ne pouvez pas refuser, monsieur. Vous ne pouvez pas me le laisser mourir. C'est mon enfant, monsieur, mon seul enfant.

Le chirurgien hochait la tête à petits coups. Pour accoutumé qu'il fût aux infortunes de la chair et de l'âme, la douleur de cette jeune femme le remuait visiblement. Et, soudain, comme s'il eût, dans ses belles mains patriciennes, soupesé les chances ultimes, il prit une décision.

— Je serai dans une heure ici. Impossible d'aller plus vite. Pasquier, préparez la chambre. Sortez les meubles que vous pouvez sortir. Des draps propres sur le reste. J'apporte ma table; j'amène mes aides. C'est pour vous que je le fais, Pasquier, pour votre sœur et pour vous.

Il ajouta, beaucoup plus bas :

— Nous avons une chance ou deux contre cent. Pas plus, vous m'entendez bien, pas plus. Reconduisez-moi jusqu'à la porte.

Comme les deux hommes descendaient l'escalier en grand'hâte, ils se heurtèrent à Richard. Le chirurgien ne s'arrêta pas.

— C'est le mari? grondait-il. Qu'est-ce qu'il est? Qu'est-ce qu'il fait? Pourquoi n'était-il pas là? Vous me direz tout ça plus tard. Et puis, faites bouillir de l'eau. Enfin que rien ne manque.

L'enfant est intransportable. Mais, opérer dans
cette chambre, c'est absurde, c'est déraisonnable.
Mon cher, nous allons agir comme mon maître
Terrier à ses glorieux commencements.

Laurent, une minute plus tard, en remontant
l'escalier, rencontra Richard qui l'attendait,
appuyé contre la rampe. Le jeune homme avait dû
prendre, pour obtenir le sommeil, une forte dose
d'hypnotique. Il avait la langue épaisse, les traits
gonflés, les yeux collés. Il saisit Laurent par
l'épaule et dit avec effort :

— Qu'est-ce qu'il y a? Qui sort d'ici?

— C'est le docteur Gosset, répondit Laurent très
vite. Dépêchez-vous de vous habiller. On opère
le petit Alexandre, dans une heure à peu près.
Comprenez-moi bien, Richard : votre enfant est
très malade.

CHAPITRE XXVII

Un peu avant onze heures, les chirurgiens se mirent à l'œuvre.

— Sœur, fit Laurent, il faut t'en aller, maintenant : tu ne peux rester ici.

— Laurent, Laurent, tu ne veux pas que je quitte mon petit.

— Il faut le quitter, Cécile. Il faut être sage et t'en aller attendre en bas, avec les autres.

Cécile regarda vers la table sur laquelle reposait le petit corps. Quelques gouttes d'anesthésique avaient suffi : l'enfant dormait déjà. Cécile avait le sentiment de son impuissance mais, pourtant, aussi, l'idée opiniâtre que tant qu'elle serait là pour veiller l'enfant, pour le regarder, pour le tenir à la surface de la vie, l'enfant ne pourrait pas mourir.

— Qui va rester? demanda-t-elle.

— Moi, je reste, fit Laurent.

Seule dans l'escalier, Cécile commença de descendre les marches, puis elle s'arrêta et se mit à genoux. Un poignant silence régnait maintenant là-haut, dans cette chambre étouffée où se livrait le combat pour le salut de cette créature fragile qui représentait, aux yeux de Cécile, tout avenir et toute vie.

Une lente prière sans mots se formait laborieusement dans le cœur de la jeune mère, une prière faite de soupirs, de cris réprimés, de promesses, d'élans, de prosternations. Puis vinrent des pensées délirantes, les vœux absurdes qui tourmentent les malheureux au plus sombre de l'épreuve : « Seigneur, la vie! la vie seulement. Si vous le voulez, je renoncerai à tout. Je ne jouerai plus de musique. Je peux me couper les mains. Je peux me crever les yeux. Seigneur! laissez-le moi, même infirme. Je le soignerai très bien. Je le rendrai heureux quand même. »

De la verrière aménagée dans la toiture tombait une lumière blanche, la froide lumière de mars et, de temps en temps, un vol de pluie ou de grêle venait cingler les carreaux.

De longues minutes passèrent. Cécile s'aperçut qu'à la pointe de l'ongle elle s'efforçait de gratter une petite tache du tapis. Le bruit menu qu'elle faisait lui rappela soudain l'odieuse soirée au théâtre et cette rampe de bois qu'elle avait égratignée furieusement, dans sa colère. Etait-ce vraiment la même femme qui attendait, à genoux, sur les marches de l'escalier, que les hommes blancs, là-haut, eussent achevé leur office?

Puis vint un instant de calme, une rémission

miraculeuse. La jeune mère cessait de résister. Elle
connut soudain, de façon sensible et presque char-
nelle, avec ses lèvres, avec sa bouche, le goût du
renoncement, la saveur du sacrifice.

La porte de la chambre s'entr'ouvrit soudain.
Sûr de n'avoir pas même à faire un pas, à élever
la voix, Laurent disait :

— Tu peux entrer.

La voix n'était ni triomphante, ni même paisible. Cécile ne put s'y tromper.

— Madame, murmura le chirurgien, nous
avons fait de notre mieux. Je voudrais pouvoir
vous rassurer. Je n'en ai pas le droit, madame.

L'enfant avait été reporté dans son lit. Il dormait d'un sommeil que Cécile ne connaissait pas
et qui lui parut terrible. Elle s'agenouilla près du
lit. Le chirurgien se rhabillait et parlait à Laurent,
tout bas, mais non point si bas que Cécile ne pût
entendre.

— Une perforation, disait-il, avant la qua-
torzième heure! Le péritoine envahi. Des phénomènes toxémiques. Nous autres, nous n'arrivons
que quand on nous appelle. Il faudra bien qu'un
jour le plus humble des praticiens sache reconnaître à temps cette effrayante maladie. Vous me
donnerez sans faute un coup de téléphone, chez
moi, entre trois et quatre heures. Au revoir, Pasquier. Nous avons fait le possible...

Les voix se perdirent bientôt derrière la porte.
Quand Laurent revint, il souffla, dans l'oreille de
Cécile :

— Ton mari veut voir l'enfant.

Cécile remua la tête, faiblement, pour dire oui.

Debout derrière la jeune femme, Richard demeura quelques instants, son dur visage contracté par une souffrance à laquelle il semblait mal préparé. Il faisait de pénibles efforts pour avaler sa salive.

Las de contempler ces deux douleurs dissemblables qui ne pouvaient ni s'apaiser, ni s'unir, Laurent finit par entraîner Richard.

— Descendez chez vous, disait-il. Nous avons tous notre rôle dans ces heures difficiles. Occupez-vous des parents, de nos amis. Je vais rester près de Cécile et vous donnerai des nouvelles.

Laurent, sur la pointe des pieds, gagna la chambre de la jeune femme. Il s'assit dans un fauteuil et commença de rêvasser. Il s'aperçut après un long moment que ses pensées tournaient toujours dans le même cercle : « Donnez-moi cette petite vie, songeait-il, donnez-la moi non seulement pour ma sœur Cécile, mais aussi pour moi, pour qu'il me soit possible de continuer à vivre et à travailler, pour que je garde encore le sentiment de l'avenir, pour que je ne perde pas confiance... » Cette méditation vagabonde s'achevait dans la colère, dans les menaces et la désolation. « Comme c'est extraordinaire, pensa Laurent, je n'ai point la foi, je ne crois plus en Dieu depuis longtemps; mais je demande encore, j'exige encore, je suis encore capable de prière. »

Il fit une rapide excursion dans les étages inférieurs de la maison. Le docteur Pasquier et Mme Pasquier venaient d'arriver. On entendait, à la cantonade, bourdonner la grosse voix de Joseph. Mme Pasquier avait retiré sans mot dire sa capeline et son chapeau. Elle avait les lèvres

serrées, le regard fixe, deux grandes rides aux
coins de la bouche, cet air sérieux et obstiné qu'on
lui voyait, depuis toujours, dans les conjonctures
notables. Elle monta l'escalier, vint s'asseoir près
de Cécile et resta là comme une personne qui a
rejoint sa vraie place et retrouvé le rôle de toute
son existence. Elle savait, mieux que personne,
arranger un oreiller, déplisser un drap avec la
paume de la main, dissimuler une lumière, disposer une boule d'eau chaude. Mais qu'aurait pu
faire l'ange de la douceur lui-même au chevet de
cette humble créature blessée? L'enfant parfois se
plaignait et parfois tombait dans la somnolence.
Il ramenait alors le drap sur son visage. A chaque
respiration, une mèche de cheveux dorés palpitait
insensiblement.

Les heures de la journée se consumaient dans
la torpeur. Laurent descendit l'escalier pour chercher, une fois de plus, dans le mouvement, un
remède à la tristesse. Comme il arrivait au rez-
de-chaussée, devant la porte du salon, il perçut le
murmure d'une conversation paisible.

— ...Ce n'est pas l'homme de science, disait
rêveusement Joseph, non, malgré ce que l'on
pourrait croire, ce n'est pas le savant qui a
dominé le siècle. Non, le vrai créateur, croyez-moi,
c'est l'homme d'argent, je dis bien, le capitaliste.
Autrefois, les hommes d'argent n'étaient guère
que des usuriers. Pendant tout le xixe siècle, ils
ont été les vrais créateurs, les rassembleurs
d'énergie. Sans les grands manieurs d'argent,
qu'auraient fait les hommes de science, je vous
le demande? Ils seraient morts d'ennui dans le

fond des laboratoires. C'est ce que j'ai parfois le courage d'expliquer à mon frère Laurent.

— Comment va le petit malade? fit une voix inconnue.

— Malheureusement, répondit Joseph, il paraît qu'il ne va pas bien. J'en ai le cœur à l'envers, car vous savez, j'ai des enfants et je ne suis pas fait autrement que les autres. Quant à vos renseignements, je vous les enverrai demain. L'argent, l'argent... il est ma foi bien possible que l'argent disparaisse, en tant que signe, en tant que puissance. Mais, bah! il a duré des milliers d'années, il durera bien encore autant que moi, Joseph Pasquier. Et maintenant, je m'en vais, je retourne à mes affaires. Je téléphonerai ce soir.

Laurent remontait les marches de l'escalier. « Je suis bien sûr, songeait-il, que Joseph est venu là, poussé par une sympathie sincère. Mais tout s'épuise et maintenant Joseph retourne à son tourment, à cette passion qui le consume et finira par le détruire, un jour, plus tard, dans l'avenir... »

Laurent regagnait le chevet du petit malade. L'enfant venait de vomir. Un vomissement noir dont la mère et la grand'mère se montraient très effrayées.

La nuit commençait de tomber quand Cécile comprit que l'enfant allait mourir, que toute prière était vaine, que tant d'amour, tant d'espoirs, tant de projets et de rêves allaient sombrer tout à coup au terme de cette journée horrible. Alors elle commença de se promener dans la chambre, les bras noués, la chevelure défaite, la gorge secouée de sanglots qui ne trouvaient point issue.

De longues heures passèrent encore, puis l'enfant se prit à hoqueter, puis il ouvrit la bouche comme un poisson pêché, puis vinrent des convulsions.

Longtemps après la minuit, Suzanne arriva du théâtre, avec la voiture de Joseph. La maison semblait engourdie dans une paix surnaturelle. La jeune fille, qu'on avait cherchée tout le jour, venait enfin d'être avertie par un billet du docteur. Suzanne poussa la porte et se lança dans l'escalier, sentant à chaque degré croître son inquiétude. Comme elle atteignait le second étage, une porte s'entr'ouvrit et Cécile parut. Elle prit Suzanne à pleins bras, l'étreignit longuement, joue contre joue, bouche contre oreille.

— C'est fini, disait-elle, c'est fini. Mon petit garçon est mort.

CHAPITRE XXVIII

L'HERBE D'AVRIL. LE PREMIER DE NOUS QUI S'EN VA.
JE N'OUBLIE PAS L'OUBLI. LA LUMIÈRE EST MORTE.
RICHARD S'EFFACE. CONVERSATIONS DANS LES RUES
DE PARIS. DES NOUVELLES DE JUSTIN WEILL. QU'ES-
TU VENUE FAIRE PARMI NOUS? LE BEAU NAVIRE VA
S'ÉLOIGNER.

Venu de l'Ouest, un grand vent chargé d'ombres
et de nuées courait au ras de la terre. De belles
vagues de clartés retroussaient l'herbe d'avril.
Au Sud, par-dessus la jeune frondaison des mar-
ronniers et des platanes, on apercevait les maisons
de la ville. Des sonneries de clairons, perdues dans
l'éloignement, pétillaient ou s'éteignaient selon
les sursauts de la brise.

Cécile achevait d'emplir à la borne fontaine un
léger broc de fer blanc.

— Je te remercie, dit-elle, de m'avoir accom-
pagnée.

— Veux-tu, demanda Laurent, que je te porte
quelque chose?

— Non, je n'ai besoin de rien; mais je suis très
contente de te sentir près de moi.

271

— Quelle paix! dit encore Laurent. On se croirait à la campagne.

— Oui, l'herbe pousse entre les tombes.

La jeune femme s'éloignait, portant le broc d'une main et de l'autre une petite pelle. Son éternelle serviette bourrée de livres et de papiers contre la hanche, Laurent suivait, en silence.

Parvenue devant le tertre, Cécile commença de creuser la terre. Dans chaque trou, elle plantait une touffe de myosotis. Elle s'était agenouillée sur les cailloux et la mousse. Comme elle se prenait à parler, Laurent s'accroupit bientôt de l'autre côté de la tombe.

— Maman, disait la jeune femme, voulait que mon petit garçon fût enterré là-bas, à Nesles, dans ce caveau qu'ils ont bâti, dans leur tombeau de famille. Mais je n'ai pas voulu, non, je n'ai pas voulu. Qu'aurait-il été faire, là-bas, tout seul et si petit, dans ce monument de granit? Et puis, c'est trop loin. Je veux venir tous les jours.

Un merle jaillit d'entre les tombes, un vermisseau dans le bec, et prit l'essor à grand bruit d'ailes. Cécile, une seconde, le suivit d'un œil absent, puis elle se reprit à parler.

— C'est le premier de nous tous qui s'en va, le plus petit de nous tous. C'est lui qui a, le premier, entendu la voix qui nous appellera tous, à notre rang, que nous ne pouvons pas prévoir. Laisse-moi faire, Laurent, je verserai l'eau moi-même. Il y a de petites joies, même dans l'extrême détresse.

Cécile arrosait, au pied, les touffes de myosotis.

— Oui, dit-elle, je viens ici tous les jours, et c'est pourquoi j'ai choisi le cimetière le plus proche. Je viens chaque matin et, quand je ne suis point ici, mon âme y est, près du petit corps qui est en train de se défaire.

De longues larmes tranquilles commencèrent de couler sur les joues de la jeune femme.

— Oh! disait-elle, je n'oublie pas ce que tu m'as dit un jour de tes visites à ton vieux maître Chalgrin. Non, je n'oublie pas l'oubli. Je sais qu'un temps viendra, plus tard, où mes visites seront plus rares et, comment t'expliquer, Laurent, je ne peux y penser sans honte. Il paraît qu'il y a des sauvages, là-bas, dans les mers du Sud, qui ne consentent pas à se séparer de leurs morts. Nous qui sommes des gens civilisés et raisonnables, nous laissons nos morts se débattre seuls dans l'abîme. Moi, moi, il me semble que je ne suis plus sur terre, mais avec l'enfant, dans l'abîme, et que je vais le suivre à travers toutes les étapes de la dissolution.

Cécile se releva, fit tomber d'un geste machinal les brins de mousse et les graviers qui restaient collés à sa jupe. Puis elle parla de nouveau. Elle semblait, à s'épancher, trouver un amer allégement.

— Il est possible, dit-elle, que la lumière d'ici, je veux dire la lumière du monde, brille pour moi de nouveau. Je ne peux y croire. Il me semble que le monde est mort, que la lumière est morte, que j'assiste, impuissante et stupéfaite, au triomphe de la mort. Les petits enfants, Laurent, ne devraient pas mourir. Maintenant, allons-nous-en. Je sais que ta journée est chargée de travail.

— Mais non, sœur, je reviendrai, si je ne t'importune pas.

— Ecoute, dit la jeune femme, pendant qu'ils cheminaient dans les allées du cimetière, on dit que pour nous autres, les musiciens, il n'est pas nécessaire de connaître la vie. Je croyais, naguère encore, qu'il nous suffisait, à nous autres, d'imaginer la souffrance. Eh bien! ce n'est pas vrai.

Les deux jeunes gens firent quelques pas en silence, puis Laurent dit tout à coup :

— J'ai vu ton mari...

Cécile fit, de la tête, un léger signe attentif.

— Il accepte, dit Laurent, l'idée de cette séparation. Il est d'ailleurs très abattu. Je pense qu'il lui faudra quelque temps pour se ressaisir.

— Dis-lui bien, reprit Cécile, que je ne lui en veux plus. Je ne le déteste plus; mais je ne veux plus le revoir. Je ne me remarierai jamais. Si Richard veut rester ainsi, j'accepte. S'il préfère retrouver sa liberté complète, celle du nom, celle de la loi, je la lui rendrai volontiers. Je ferai ce que l'on voudra. Tout cela m'est bien égal.

Les deux jeunes gens, maintenant, s'acheminaient dans les rues des quartiers du nord, dans les rues toutes chargées de mangeailles, toutes bruissantes d'un obscur et fourmillant labeur. Ils devisaient paisiblement, et, de minute en minute, pour traverser les chaussées, Laurent, comme au temps jadis, prenait Cécile par le bras.

— Peux-tu, dit la jeune femme, me donner des nouvelles du pauvre Justin?

— Il a trompé les médecins : il a été très ma-

lade. La blessure s'est enflammée, il a fallu la
débrider d'un orifice à l'autre. Il porte à la hanche
une grande plaie qui finira sûrement par se cica-
triser, mais qui le fait encore souffrir. Il a touché,
ces jours derniers, un héritage, quelques billets de
mille francs, et je suis un peu inquiet... C'est assez
difficile à dire, mais j'ai peur qu'il n'ait prêté de
l'argent à...

— A qui, Laurent?

— A papa, tout simplement, parce que papa
m'a dit qu'il allait enfin publier son fameux
livre... Mais tout cela n'a pas d'importance. N'é-
coute pas ces misères. Je te demande pardon de
t'en avoir parlé. Sais-tu que papa m'a bouleversé,
le soir de ton petit garçon? Il a pleuré, longtemps,
des larmes véritables. Il n'a pas encore fini de nous
étonner. Il ne nous a pas encore dit tout ce qu'il
peut nous dire.

Le jeune homme, une fois de plus, saisit le bras
de sa sœur. Il parlait maintenant si bas que Cécile
l'entendait à peine.

— Qu'es-tu venue faire parmi nous, Cécile?
Qu'es-tu venue faire au milieu de nos misères?

Cécile ne répondit pas tout de suite à cette question surprenante, mais elle dit, après un moment :

— Ne va pas t'imaginer, Laurent, que ceux qui
cherchent Dieu, c'est qu'ils ne veulent plus
souffrir. Je ne cherche plus. J'ai trouvé. Je suis
sûre d'avoir trouvé. Pourtant, je n'ai jamais
tant souffert que depuis cette rencontre. Je souffre autrement, voilà tout. C'est presque inexplicable. C'est une façon nouvelle d'endurer toute
souffrance.

18*

Laurent montra soudain ce regard pressant et
naïf qui, dans l'homme accompli, laissait refleurir
l'enfant.

— Penses-tu, demandait-il, que la douleur
puisse avilir une âme?

— Moins que la joie, fit Cécile, sûrement moins
que la joie.

Un peu plus tard, elle dit encore :

— Je ne suis en aucune façon une âme méta-
physicienne. Je ne demande pas à mon Dieu d'avoir
créé ce monde incohérent. Tu vois, Laurent, je ne
suis pas selon les livres des docteurs. Mais ils ne
me rejetteront pas, j'en suis sûre. Je ne demande
à mon Dieu que de me permettre de l'aimer. Je lui
demande aussi la grâce de souffrir sans honte et
sans désespoir et, plus tard, demain peut-être, une
autre grâce : celle de mourir sans regret. Je ne suis
pas bien savante. Je sens que mon cœur est encore
tout plein de contradictions. Mais qu'on me laisse
chercher, trébucher, faire mes faux-pas. Je finirai
par suivre toute ma route.

— Nous autres, murmurait Laurent, nous
autres, gens de la science, nous avons aussi nos
dieux, nos rites, nos dogmes, nos lois et d'éton-
nantes liturgies. Les hommes se sont imaginés
qu'ils pourraient vivre sans dieux, mais les plus
sages commencent à comprendre que c'est impossible.

Les deux jeunes gens, ainsi devisant, venaient de
s'arrêter devant une petite église, basse, humble,
presque villageoise, serrée sur les deux flancs par
de hautes bâtisses moroses.

— Je connais cette maison, dit Laurent. Sœur,

Je t'y ai suivie un soir, et tu ne le savais pas. J'ai
fait cela parce que je t'aime.

— Entre avec moi, s'écria Cécile.

— Non, sœur, ce n'est pas possible. Oh! j'y ai
songé cent fois. Cent fois, je t'ai dit, en rêve :
« Prends-moi, emporte-moi. » Mais non, ce n'est
pas possible. J'ai bu, dès le commencement, des
breuvages qui m'ont empoisonné pour le restant
de mes jours. Il faut maintenant que je me débatte
avec cette pesante raison qui ne me comble pas,
mais qui m'a donné des habitudes tyranniques et
dont je sens bien que jamais je ne pourrai me délivrer. Mais je t'envie, sœur, je t'envie. Il me semble
que je vois s'élancer un beau navire et que je reste
seul, sur le quai, en agitant un mouchoir.

Cécile avait saisi la main de son frère et la balan-
çait lentement, comme font les enfants pour s'in-
viter à la course.

— Non, répéta Laurent, non, Cécile. Nous
allons nous séparer. Nous sommes déjà séparés.

— N'en crois rien, dit la jeune femme. Je vais
entrer seule dans l'église, puisque tu ne veux pas
m'y suivre; mais je ne me sépare pas de toi. Rien
ne peut, à l'avenir, me séparer de toi.

Laurent fit avec les épaules un geste de lassitude,
puis il se détourna sans hâte et s'en alla, suivant,
comme au temps de son enfance, la bordure du
trottoir, pendant que l'éternelle serviette pleine de
papiers et de livres lui battait contre le flanc.

TABLE